Luces, cámaras y... ¡confusión!

Dirección de arte: Trini Vergara
Diseño: María Inés Linares • Ilustraciones: Muriel Frega
Traducción: Nora Escoms
Edición: Silvina Poch - Angélica Aguirre
Colaboración editorial: Soledad Alliaud - Lucía Gonçalves da Cruz

© 2008 V & R Editoras
www.libroregalo.com

Argentina: Demaría 4412 (C1425AEB), Buenos Aires
Tel./Fax: (54-11) 4778-9444 y rotativas • e-mail: editoras@libroregalo.com

México: Av. Tamaulipas 145, Colonia Hipódromo Condesa,
Delegación Cuauhtémoc, México D. F. (C.P. 06170)
Tel./Fax: (5255) 5220-6620/6621 • 01800-543-4995
e-mail: editoras@vergarariba.com.mx

ISBN: 978-987-612-092-0

Impreso en Argentina por Casano Gráfica S.A. Printed in Argentina

Hopkins, Cathy
Luces, cámaras y... ¡confusión!
1ª ed. - Ciudad Autónoma de Buenos Aires: V&R, 2008.
136 p.; 21x14 cm.

Traducido por: Nora Escoms
ISBN 978-987-612-092-0

1. Literatura Juvenil Inglesa. I. Escoms, Nora, trad. II.
Título
CDD 823.928 3

CATHY HOPKINS

Luces, cámaras y... ¡confusión!

¿Verdad o consecuencia?

V&R
EDITORAS

1
El soldadito

—Ni lo sueñes, Zoom —dijo Becca—. ¿Qué crees que somos? ¿Estúpidas?

—No —respondí—. Pero ¿por qué no quieren?

Lia, Cat, Becca, Mac y yo estábamos en la playa de Whitsand Bay, un par de días antes de las celebraciones de Pascua. Eran las seis de la tarde; la luz era perfecta; no había nadie más que nosotros, y lo único que les había pedido a las chicas era que se quitaran la ropa y posaran para mí desnudas contra las rocas. De acuerdo, hacía un poquito de frío, pero aparte de eso, no veía cuál era el problema.

—Porque sólo quieres vernos desnudas, por eso —dijo Becca.

—No es así —insistí—. Es arte. Para mi carpeta de presentación.

Era verdad. Necesitaba tener lista una variedad de fotos para cuando fuera a las entrevistas en las universidades. Pienso estudiar cine, pues mi ambición es ser director, y para eso es esencial tener una buena selección de fotos para mostrar en las entrevistas. Aunque también era cierto lo que decía Becca. Claro que quería ver a las chicas desnudas. Tengo dieciséis años y, a mi modo de ver, Lia, Cat y Becca son las chicas más lindas de nuestra escuela. Estaría loco si no quisiera verlas desnudas.

Cat se volvió hacia Mac.

—Veo que estás muy callado. ¿Qué piensas tú?

Mac le sonrió con aire descarado.

—Creo que deben hacerlo. Por el arte.

–Sí, claro –repuso Cat–. Y ¿cuál sería exactamente tu aporte?

–La apreciación –respondió Mac–. El arte necesita un público.

Lia soltó una carcajada.

–Tú también quieres vernos desnudas.

–Seguro –dijo Mac.

De pronto, Becca se levantó de la arena, donde estaba sentada, caminó hacia mí y se detuvo con las manos apoyadas en las caderas.

–De acuerdo –dijo–. Lo haré si tú también lo haces.

–¿Cómo dices?

–Si tú y Mac se desnudan, nosotras también lo haremos.

–No hables por todas –intervino Cat.

–Sí –dijo Lia–. No nos incluyas.

–Miren –les dije–. Sólo quiero que se acomoden contra las rocas. Me darían la espalda. No quiero una pose sensual ni nada de eso. Les aseguro que serán fotos artísticas. Todo se basa en las formas y las texturas.

Cat se echó a reír.

–Buen intento, Zoom. Eso no lo había oído nunca. Todo se basa en las formas y texturas. Ahora quítate la ropa.

Me senté sobre la cerca que estaba detrás de mí y contemplé el mar.

El día estaba resultando toda una frustración. Era mi cumpleaños. Debería ser divertido, una celebración, pero pronto empecé a comprender el significado de aquel dicho: «Bienaventurados los que no tienen expectativas, pues no conocerán la decepción». Muy cierto, a juzgar por cómo transcurría el día. Les llaman «dulces dieciséis». Sólo que no me siento dulce. Me siento pésimo.

Esa mañana me había levantado lleno de expectativas, como es habitual cuando uno cumple años. Bajé a la cocina esperando lo mejor: un desayuno completo, mi preferido, a pesar de ser un día de escuela; regalos sobre la mesa, tarjetas de felicitación... Pero no. No había nada. Nadie me preparó siquiera una taza de té. Papá ya había salido a auxiliar a un tipo al que se le había descompuesto el coche y mamá estaba peinando a una de sus clientas, la Sra. McNelly, que vivía en nuestra misma calle. Cat dice que mis padres son las personas más importantes del pueblo porque papá es el único mecánico en muchos kilómetros y mamá, la única peluquera. Supongo que Cat tiene razón, pero a veces puede ser algo aburrido, como hoy, cuando uno quiere que le presten un poco de atención, para variar. Al menos mi hermanita, Amy, se acordó de mi gran día. Apenas entré a la cocina me señaló con su taza. Tiene sólo dos años. Es su manera de saludar. Lamentablemente, la taza estaba llena de leche y me salpicó toda la camiseta.

–Tu papá dijo que te vería más tarde –me dijo Janice. Es mi prima y a la vez la niñera de Amy–. Feliz cumpleaños.

Y eso fue todo. Eso y las tres tarjetas que había sobre la mesa: una floreada de la abuela, una con un chico y su perro sentados en un muelle, de la tía Bea, y una de mi hermano menor, Will: una tarjeta de Navidad donde había tachado la palabra «Navidad» y agregado «Cumpleaños». No podía quejarme. Había aprendido ese truco de mí, y también a envolver los regalos en papel periódico; pueden quedar muy artísticos si se los ata con una cinta colorida. De mis padres, nada. Y yo que pensaba que cumplir dieciséis era importante. Como cumplir dieciocho, veintiuno, treinta, cuarenta, etc. Un gran día. Un día especial. Un día que no se puede pasar por alto. Obviamente me había equivocado. En fin, decidí no seguir lamentándome y partí hacia la escuela.

La escuela estuvo como siempre: nada importante. No hubo ningún anuncio especial de cumpleaños al entrar ni me dieron el día libre, pero eso era de esperarse, ¿no? Al menos mis amigos y mi novia, Lia, no lo habían olvidado. Nos juntamos en el recreo y me dieron sus regalos. Lia había traído un termo con chocolate caliente y un pastel de zanahoria recubierto con betún de limón (mi preferido). Todo muy bueno. Cat y Becca me regalaron un CD de los Red Hot Chili Peppers; Mac me compró un DVD de la versión completa de *Reservoir Dogs*, de

Tarantino y Becca además me regaló un jabón muy elegante. (¿Estará tratando de decirme algo? Mejor reviso cómo huelen mis axilas.)

Cuando nos hartamos de comer pastel, Lia me dio su regalo: el libro de fotografía más increíble. Uno de esos enormes, pesados, que cuestan una fortuna. Es de un sujeto llamado Bill Brandt. Las fotos son en blanco y negro. Todas muestran paisajes, o al menos eso parece al principio. Cuando se mira con más detenimiento, se ve que una piedra es en realidad la curva del trasero de alguien o un hombro, un leño que flota en el agua es un brazo o una pierna. Es por el modo en que dispone las cosas y luego las ilumina. Como dije, todo se basa en las formas y las texturas. Absolutamente alucinante. Por supuesto, estaba ansioso por probar yo mismo, pero pronto descubrí que no es fácil lograr que la gente, ni siquiera mis mejores amigos, pose desnuda. Decidí hacer un último intento antes de darme por vencido.

–Vamos –les dije, volviéndome hacia ellos una vez más–. No lo estoy diciendo sólo para que se desnuden. En serio. Y ¿a quién más podría pedírselo?

–Pídeselo a Mac –sugirió Becca con una sonrisa.

–Es demasiado flaco. No tiene curvas –respondí–. Las chicas tienen mejores formas. Por favor. Sería genial si pudiera tomar esas fotos, y nadie sabría que son ustedes.

–Entonces, ¿para qué hacerlo? –preguntó Becca.

Típico de Becca, pensé. Le encanta ser el centro de atención y, a pesar de toda su oposición a posar, sé que por un lado le encantaría, sólo para poder decirle a la gente en una exposición: «¡Esa soy yooo!».

–La idea es –respondí– que yo pueda tomar algunas fotos un poco diferentes para mi carpeta de presentación. Eso puede ayudarme a entrar a la universidad y a salir de aquí.

–¿Por qué quieres irte de aquí? –preguntó Lia, señalando la costa que se extendía por muchos kilómetros a cada lado–. Este lugar es un paraíso.

–No lo es cuando llevas toda tu vida aquí –repuse–. Cuando ya has fotografiado cada centímetro, cada rincón, árbol, roca, persona... Hay todo un mundo más allá de Cornwall. Estoy ansioso por empezar a explorarlo.

Miré a lo lejos, hacia donde había señalado Lia. Sin duda, esta zona es bellísima. La costa sur de la península es totalmente agreste: sólo playa, arena y acantilados hasta donde alcanza la vista. Impresionante, sí. Pero a veces, últimamente, siento que ya no lo veo. Siento que me ahogo aquí. Como en el pueblo: todo el mundo se conoce; todos saben qué hace cada uno. Lia es relativamente nueva en la zona. Lleva aquí apenas un año. Aún lo ve con ojos frescos.

Becca se puso delante de mí.

–¿Me oíste, Zoom? Dije que me desnudaré si tú también lo haces. ¿Estás conmigo, Lia?

Lia me miró desde la arena, donde estaba sentada.

–Lo pensaré. Quizá.

Miré a Mac. Se encogió de hombros.

–Sería divertido –dijo–. ¿Qué te parece?

De pronto me vino a la mente una imagen de Lia desnuda... Meneé la cabeza.

–Olvídenlo –murmuré–. Buscaré a alguien que no ponga tantas condiciones para posar.

Becca echó atrás la cabeza.

–Como quieras. Es una oferta única en la vida.

–En ese caso, me la pierdo –respondí, mientras guardaba la cámara en mi mochila. No podía arriesgarme. Si tenía que desvestirme al mismo tiempo que las chicas, quién sabe qué podría pasar. Es decir, en la zona de los pantalones. A veces bastaba con sólo pensar en ello. Estos últimos años han sido un infierno. Mi amiguito parece haber cobrado vida propia, y a veces es como un soldadito que se pone en posición de firmes en los momentos menos apropiados.

Es muy extraño. Es como tener un animalito con voluntad propia viviendo en el cuerpo de uno. A veces, no puedo hacer nada para detenerlo. Puedo controlar todas las demás partes de mi cuerpo: brazos, piernas, manos, pies; ninguna de ellas se mueve involuntariamente, sólo si yo lo ordeno. Pero mi amigo es distinto. Tiene sus propias intenciones. A veces (especialmente cuando hay chicas presentes), por más que intente aquietarlo, no me hace caso. Entonces... Lia, que me gusta con locura, desnuda; Becca y Cat desnudas; yo desnudo; yo y mi amigo (y aquí no me refiero a Mac), a la vista de todo el mundo... No puedo correr el riesgo. No, señor. De ninguna manera.

Las chicas no saben la suerte que tienen. Si se excitan, o algo así, ¿quién se entera? Pueden mantenerlo en secreto. Pero para nosotros es distinto. Cuando empezamos a prestar atención a las partes femeninas de las chicas –un vistazo de senos, la insinuación de un muslo– zas, el amiguito se levanta, listo para la acción, con un saludo a todo lo femenino. Por eso, no. De ninguna manera iba a desnudarme junto con las chicas. De todos modos, tenía otra idea para una foto.

–¿Y si probamos otra cosa? –propuse–. No llevará mucho tiempo.

La idea se me había ocurrido al ver el pelo de Becca brillando al sol de la tarde. Ella tiene un hermoso pelo, largo y rojo. No rojizo, sino rojo. Rojo intenso.

–¿Qué cosa? –preguntó Becca.

–¿Qué les parece si todos se acuestan en la arena uno al lado del otro y extienden su pelo alrededor? –sugerí.

–No tengo mucho para extender porque me lo corté –respondió Cat, al tiempo que se tendía sobre la arena–. Pero sí puedo acostarme.

Lia se tendió a su lado, y luego Becca.

–Y tú al final, Mac –dije, y Mac se acomodó para completar la fila.

–Y ¿qué vas a fotografiar? –preguntó Mac–. ¿Nuestras cabezas? ¿Nuestros perfiles? ¿Qué?

–El pelo. La parte de arriba de sus cabezas. Será una toma de texturas.

Me arrodillé y luego me tendí para conseguir el ángulo correcto. Todos los colores se veían geniales por el visor de la cámara. El pelo corto y oscuro de Cat contrastaba de un modo agradable con el de Lia, que es largo y rubio, casi blanco, hermoso, como agua o seda. Junto al de ella estaba el de Becca, del color de la sangre, a la luz del atardecer. Y, al final de la línea, las espigas rubias de Mac. Desde el ángulo correcto, la combinación de sus cabelleras parecía un paisaje extraterrestre. Una hora en el cuarto oscuro y podría quitar las caras para concentrarme sólo en el pelo. Sí, el efecto terminado quedaría genial. No como Bill Brandt, sino diferente.

–Se ve muy bien –dije, mientras me movía alrededor de ellos, haciendo varias tomas–. Sí, gracias. Excelente. Eso es.

–¿Ya podemos levantarnos? –preguntó Cat, luego de que los fotografié desde todos los ángulos que me parecían apropiados.

–Sí, gracias, chicos –respondí–. Estuvieron increíbles.

–Me alegro, porque me muero de hambre –dijo Becca, al tiempo que se ponía de pie y se encaminaba a la escalinata que subía el acantilado–. Necesito comidaaa –echó un vistazo a su reloj–. Dios mío, es tarde. Tengo que irme. ¿Vamos, Mac?

Mac se levantó para seguirla.

–Sí, claro –respondió.

–¿Qué prisa tienen? –les pregunté.

–Ninguna –dijo Mac–. Pero quiero volver a una hora razonable. Para cenar, hacer la tarea para la escuela. ¿Cat? ¿Lia? ¿Nos vamos?

–Sí. Lo siento, Zoom, tengo que irme –dijo Cat–. ¿Vienes?

–Más tarde –respondí–. Quizá tome algunas fotos más antes de que se ponga el sol.

Cat se puso de pie para ir con Mac y Becca, pero primero me miró, preocupada.

–Perdónanos por las fotos de los desnudos, Zoom.

–Descuida –le respondí–. Conozco a miles de personas que aceptarán posar desnudas. No hay problema.

De hecho, creo que podría convencer a Cat de posar desnuda si estuviéramos a solas. Ya la he visto desnuda. Está bien, eso fue cuando teníamos unos cinco años, pero ¿y qué? Seguro que no le importaría si no estuvieran los demás. Nos conocemos de toda la vida y somos amigos desde que tengo memoria. Fuimos novios por un tiempo –unos años, en realidad– hasta que de pronto no tuvo más sentido: era como salir con mi hermana o algo así. Ella sentía lo mismo. Ahora le gusta el hermano de Lia, Ollie. Se la ve bastante feliz en las ocasiones en que él viene de Londres, donde estudia. Espero que la trate bien. No lo conozco tanto, pero me parece que, llegado el caso, podría ser de los que usan a la gente.

Mientras Cat, Becca y Mac volvían a subir por el acantilado, Lia los observó, nerviosa.

–Deberíamos irnos también, ¿no crees? –me preguntó.

–No hay prisa –respondí. Mi cumpleaños no había terminado y aún podía salir bien si contaba con media hora a solas con la chica más deslumbrante de Cornwall.

Lia miró su reloj. Era obvio que no compartía mi entusiasmo.

–No, en serio, Zoom. Pronto oscurecerá.

–Todavía falta mucho –le dije–, y no te preocupes, te acompañaré a tu casa.

–No, vámonos ahora. Pero... ¿podemos pasar primero por tu casa? Yo... eh, quiero que me prestes ese libro de historia para mi trabajo escolar. Papá puede pasar a buscarme más tarde.

Me encogí de hombros.

–Claro. Si eso es lo que quieres.

Lia asintió.

–Además, es tu cumpleaños. ¿Acaso tus padres no habrán organizado una celebración para ti? ¿Una cena especial o algo?

Meneé la cabeza.

–No, parece que no. En realidad, supongo que es mi culpa. Mamá estuvo preguntándome durante semanas: «Zoom, ¿qué te gustaría hacer para tu cumpleaños?». Y yo siempre le respondía: «Nada. No se preocupen».

No quería hablar mucho de eso con Lia, pues su familia es muy rica, pero mamá y papá están escasos de dinero desde que Amy entró en escena. Además, Will empieza la secundaria en septiembre y va a necesitar muchas cosas nuevas. Yo sólo trataba de aliviarles las cosas. Ya saben: no se preocupen por mí, no necesito nada importante para mi cumpleaños. Pero es curioso, porque ahora que llegó mi cumpleaños, me habría gustado que hicieran algo.

Lia apoyó la mano en mi brazo y lo apretó con afecto.

–Cuánto lo siento, Zoom. Ojalá me lo hubieras dicho; habría arreglado algo para esta noche, pero... tengo que volver a casa apenas haya recogido ese libro.

Nos quedamos sentados un momento, tomados de la mano y contemplando el mar. Es mi hora favorita del día. Hay mucha quietud. Además, la luz es mejor a esta hora. Decidí sacar la cámara y tomar unas últimas fotos de Lia. Hace poco más de un mes que estamos saliendo y aún no termino de creer que yo haya tenido tanta suerte. Lia Axford, mi novia. No sólo es la chica más linda de Cornwall; también debe ser la más linda de todo el mundo. Me enamoré de ella apenas la vi por primera vez en la escuela, en septiembre. Cabello largo y rubio, ojos azul-plateados, alta, delgada: una muñeca. Le di un diez –no, mejor once– sobre diez. Me parecía inalcanzable y pensé que jamás se molestaría en mirarme por segunda vez. Pero lo hizo. Hemos pasado unas semanas fabulosas. Pero en los últimos días ha estado un poco distante. Y ahora parece distraída, como si no quisiera estar aquí. Está nerviosa y no deja de mirar el reloj. Tal vez le molestó que les pidiera a las otras chicas que posaran desnudas. Quizá se puso celosa. O tal vez se aburrió. Hay una sola manera de averiguar si aún quiere estar conmigo, pensé, y me incliné hacia ella para besarla.

Ella se apartó y volvió a mirar la hora.

–Realmente deberíamos irnos –dijo. Luego se puso de pie y se encaminó hacia la escalinata.

–Bueno, está bien –respondí, y empecé a guardar mis cosas.

Sé que no conviene insistir cuando las chicas no están de humor. Pero a Lia le pasa algo, estoy seguro, pensé mientras cruzaba la playa tras ella. Es obvio que no quiere estar a solas conmigo. Tuve una sensación de languidez en el estómago. Tal vez ya no quería salir conmigo. Inevitable, supongo. Una chica como Lia podría estar con cualquiera: ha vivido en Londres, su padre es una estrella de rock, su familia es súper rica. (Viven en una mansión en el campo, mientras que mi familia vive en una cabaña de pescadores en el pueblo.) ¿Por qué a una chica como ella le interesaría un pelagatos como yo?

Cuando llegamos al pie de la escalinata que subía al acantilado, de pronto se volvió hacia mí.

—Oye, ¿te acuerdas del verano pasado cuando jugamos aquí por primera vez a *Verdad, consecuencia, beso o promesa*?

Asentí.

—Bien, ¿verdad, consecuencia, beso o promesa? —me preguntó.

—Bueno, no voy a elegir consecuencia porque me harás hacer alguna locura, como meterme corriendo al mar con toda la ropa puesta. Tampoco beso, porque no quiero besar a nadie más que a ti. Verdad, ya lo sabes todo sobre mí, entonces… Parece que sólo me queda la última opción: promesa.

—De acuerdo —dijo—, promesa. —Pensó un momento—. Creo que lo más importante en cualquier relación, ya sea de amigos, de pareja o lo que sea, es ser sincero respecto de lo que uno siente. Entonces, promesa. Promete decirme la verdad, aunque duela, sea lo que sea, y yo también lo haré…

—Sí, claro. Debemos ser sinceros sobre lo que sentimos —respondí—. Lo prometo.

En ese momento, sonó su teléfono móvil.

—No tardaré —dijo. Sacó el teléfono del bolsillo trasero de sus jeans y se alejó unos pasos. Hablaba en voz muy baja, como si no quisiera que la oyera.

Bueno, aquí viene, pensé. Va a dejarme, lo sé. Hay que decir la verdad sobre lo que uno siente, había dicho. Y, a juzgar por su comportamiento de los últimos días, estaba perdiendo el interés. Así que prepárate, pensé. Va a dejarte. Y justo en mi cumpleaños. La sensación en mi estómago se convirtió en un nudo apretado.

–¿Con quién hablabas? –le pregunté cuando volvió, poco después.

–Con nadie –respondió, ruborizándose ligeramente–. Digo, era sólo mamá que quería saber dónde estábamos... dónde estaba. Le dije que no tardaría y que pasaría primero por tu casa.

Mentía. Me di cuenta. A veces no entiendo a las chicas, pensé. Acaba de hablar de lo importante que es decirse la verdad, y dos segundos después, alguien la llama por teléfono y me miente descaradamente cuando pregunto quién era. No entiendo. Pero decidí no insistir. En realidad, no quería saber quién la había llamado, por si era algún tipo que estaba esperando reemplazarme. ¿Quién sabe? Tal vez era Jonno Appleton. Lia salió con él durante un tiempo este año. Quizá volvió a la carga. O tal vez era alguien de su escuela en Londres; debía tener montones de admiradores allá, de los que yo no tenía idea. Fuera quien fuese, supuse que conmigo había terminado. Lia estaba subiendo los escalones a toda prisa, como si ya no soportara mi compañía un minuto más.

–Pronto se pondrá el sol –dije, mientras corría para alcanzarla–. Quedémonos a verlo.

Lia siguió subiendo a toda prisa.

–No. Vámonos. Esteee... tengo frío. Y hambre. ¿Tú no tienes hambre, Zoom? Vamos.

Se acabó. Lia y yo habíamos terminado. Está bien, traté de convencerme, fue bueno mientras duró. Ojalá hubiera durado más. Mucho más.

2
Todo por hacerla reír

Lia iba inusualmente callada mientras pedaleábamos de prisa por las callejuelas del pueblo. Creo que yo también. Me sentía muy triste. Creía que compartíamos algo especial. Pensaba que ella me quería.

−¿Te pasa algo? −le pregunté, mientras rodeábamos mi casa y nos deteníamos frente a la cochera.

−Claro que no −respondió Lia, bajando de la bicicleta. Pero aún se veía incómoda y volvió a mirar la hora. ¿Acaso tenía que encontrarse con alguien más tarde?, me pregunté. En ese caso, ¿con quién?

Abrí la puerta de la cocina y encendí la luz. No había nadie en casa. En realidad, no había esperado que hubiera alguien. Los martes por la noche mamá salía con otras madres del pueblo. Will tenía noche de Scouts y papá seguramente estaría donde iba casi siempre después del trabajo: en el pub. Muy en el fondo, una parte de mí había abrigado la esperanza de que me hicieran una cena sorpresa, pero no. Era mi culpa, me recordé. Yo mismo les había dicho que no organizaran nada.

−El libro que quieres está en la sala −le dije, cuando llegamos al vestíbulo−. Está en el librero, en el estante de arriba, creo. Ve a buscarlo. Yo tengo que ir al baño.

En realidad, quería un momento a solas para serenarme. Quería prepararme para recibir la mala noticia de Lia. La segunda vez que me dejaban. Bueno, casi. En realidad, con Cat había sido recíproco. Pero aun así, no era nada agradable. Ni fácil.

Entré al baño, cerré la puerta y me miré al espejo. Tal vez no soy lo suficientemente buen mozo para ella, pensé, observándome. Sé que no soy Brad Pitt, con esa mandíbula perfecta y esos ojos tan azules, pero tampoco soy feo. Ni bueno ni malo: más o menos en el medio, supongo. Un metro setenta y seis, cabello castaño, ojos pardos, sin granos; eso debe ser un punto a favor, ya que álgunos chicos de nuestro año están llenos de granos. Además, Cat siempre solía decirme que era lindo. Eso es algo, supongo. De todos modos, me dije, el aspecto no parece ser tan importante para las chicas como lo es para los muchachos. Una vez leí en una revista de Cat que lo que más atrae a las chicas es el sentido del humor. Sí, eso es, pensé. Debería hacer reír a Lia. Últimamente he estado demasiado serio. Sí, tal vez un poco pesado, siempre hablando de que quiero irme de Cornwall y de lo deprimente que es esto. Quizá se aburrió de oírme siempre hablar de lo mismo, cuando a ella le gusta tanto estar aquí. Sí, tengo que cambiar el ánimo. Tengo que hacerla reír. Pero ¿cómo? Me devané los sesos buscando algo gracioso. ¿Contarle chistes? ¿Imitar a los profesores de nuestra escuela? No. ¿Hacer alguno de mis bailes locos? Tenía todo un repertorio de pasos: hawaiano, español, ruso, disco y extraterrestre. Alguno siempre la hacía reír.

Luego se me ocurrió una idea mejor.

Entré sigilosamente al cuarto de Will y hurgué en el fondo de su armario hasta que encontré lo que buscaba. Sí, ahí estaban, en una bolsa detrás de sus zapatos olorosos. Unas enormes tetas de plástico. Unas tres semanas atrás, estábamos en una tienda de disfraces en Plymouth con papá y las compramos para hacer reír a mamá en el Día de los Inocentes. Rápidamente me desvestí hasta quedar en calzoncillos y me sujeté las tetas con las correas. Luego fui a la habitación de mamá y eché un vistazo rápido a su colección de pelucas. Ella tiene muchas para que la gente se pruebe cuando no sabe cómo quiere cortarse el pelo. Sí, una de pelo largo, rubio y rizado, pensé. Revolví un poco su armario y encontré la boa de plumas rosadas que ella tiene para ocasiones especiales.

¿Qué más? ¿Zapatos? No, las botas de goma de papá. Las saqué de su lado del armario y metí los pies en ellas. Hmm, sexy. Me miré al espejo y agregué un toque de lápiz labial rojo para completar el efecto. Sí, podría dar resultado. Hasta yo mismo me reí, por lo ridículo que estaba.

Bajé la escalera con sigilo hasta la sala y me paré en la puerta a escuchar. La habitación estaba en silencio. Deseé que Lia no hubiese huido, que no se hubiera acobardado y me enviara luego un mensaje para decir que habíamos terminado. No, ella no haría eso, pensé. Está ahí adentro pensando cómo va a decírmelo. Bien. Era mi última oportunidad. Si así no la hacía reír, no lo lograría con nada.

Abrí la puerta súbitamente y asomé mi busto falso hacia adentro.

–Taraaaa...

Pero ¿y Lia? Estaba oscuro. Oí un clic y la sala se llenó de luz.

–¡AAHHHH! –grité, al tiempo que unas veinte voces exclamaban «¡SORPRESA!».

No sé quién se sorprendió más, si yo o ellos.

Aparecieron cabezas detrás del sofá, detrás de las cortinas, debajo de la mesa. La mitad del pueblo estaba allí, escondida en nuestra sala. La Sra. Wells, de la oficina de correos, la Sra. McNelly, que vivía en la otra cuadra. Todos mis parientes: tía Bea, tía Pat, tía Celia, tío John, tío Louis, tío David, tío Bill, tío Ed, mi primo Roger, mi primo Arthur. Mamá, papá, Will, Amy y... oh, diablos... mi abuela. ¡Sí que estaba sorprendida! Estaban también Cat, Mac, Becca y Lia, riendo a más no poder. Becca tuvo que sostener a Mac, de tanto que se reía. Empecé a retroceder pero todos empezaron a cantar el *Feliz Cumpleaños*.

Lo único que quería era llegar arriba y ponerme algo decente, pero ¿cómo podía hacerlo con todo el mundo allí cantándome? Me incliné hacia adelante, crucé las piernas, llevé las manos a la entrepierna para cubrirme y traté de sonreír como si me estuviera divirtiendo. Pero me moría de vergüenza. Fue el peor momento de mi vida.

Al fin dejaron de cantar.

–Buen atuendo –observó Will, señalando mis pechos y mis calzoncillos de la Rana René–. ¿Así impresionas a las chicas?

–Pues conmigo da resultado –acotó Lia, al tiempo que se acercaba y me tomaba de la mano–. Feliz cumpleaños, Zoom.

–Entonces... no vas a... eh... ¿no vas a dejarme? Pensé que después de ese juego de *Verdad, consecuencia, beso o promesa*, cuando me dijiste que teníamos que ser sinceros sobre lo que sentíamos, te referías a que era hora de que termináramos.

Lia me miró un momento, confundida.

–¿Dejarte? De ninguna manera. ¿Por qué habría de hacerlo? Apenas empezamos a salir.

Entonces comprendí.

–Estabas encargada de traerme a casa a tiempo, ¿verdad? ¿Por eso estabas tan rara?

Lia asintió.

–Sí. Lo siento. Tu mamá llamó cuando estábamos en la playa y me dijo que te trajera rápido. Algunos de tus parientes se estaban comiendo todas las patatas fritas y no iba a quedar nada para ti. Pero... –me miró de arriba abajo–. Hablando de actuar raro, ¿tienes algo que decir sobre tu vestuario?

–Sí –dijo mamá, acercándose a nosotros–. ¿Hay algo que quieras decirnos?

–Yo... quería hacer reír a Lia.

–Misión cumplida, diría yo –dijo mamá, y luego miró mi peluca–. Pero la próxima vez ponte la morena; creo que el rubio no te favorece.

De pronto, sentí una mano grande en mi hombro.

–Vamos, hijo –dijo papá–. Ven a abrir tus regalos.

–Dame un segundo –respondí, retrocediendo–. Tengo que cambiarme... bueno, ponerme algo.

Corrí a la planta alta, me arranqué la peluca, me limpié el lápiz labial, me puse mis jeans y mi camiseta y volví a bajar deprisa.

Sobre la mesa había una pila de regalos. Excelente. Uno en particular me llamó la atención. Estaba envuelto al estilo tradicional de la familia Squires: en papel periódico y atado con una cinta roja.

–Buen trabajo –le dije a Will, mientras me acercaba a la mesa. Todos me rodearon mientras rompía el envoltorio. Papá me dirigió una amplia sonrisa cuando vi lo que había adentro.

–¿Es la que querías? –preguntó.

Asentí. Me quedé sin palabras. Era una filmadora. Una *Sony digital*. Último modelo. Mucho más cara de lo que mamá y papá podían pagar.

–Pero, papá... tú no puedes...

–Puedo y lo hice –respondió papá, con un guiño cómplice–. No te preocupes, me la consiguió el primo Ed. Con descuento especial para la familia. Entonces, no pienses en el costo ni nada de eso. Hoy cumples dieciséis años y queríamos regalarte lo que deseabas.

Reí. Nuestra familia... es más bien una tribu. Somos cientos: tías, tíos, primos, primos segundos... primos terceros. Habitamos todo el pueblo y treinta kilómetros a la redonda. Si alguien necesita hacer, arreglar o ir a recoger algo, siempre hay alguien de la familia Squires que puede encargarse.

En ese momento, volvieron a apagarse las luces y mamá entró trayendo un pastel con dieciséis velitas encendidas. Todo el mundo empezó a cantar el *Feliz Cumpleaños* otra vez. Hasta Amy, que estaba sobre el regazo de la abuela, trató de acompañarlos con un chillido.

–Apágalas y pide un deseo –dijo mamá, mientras ponía el pastel sobre la mesa delante de mí.

Lo habían decorado como si fuera una cámara. (Probablemente lo hizo tía Celia, que tiene una panadería.) Miré alrededor, a todas las caras sonrientes. Este es un cumpleaños de primera, pensé, cerrando los ojos y pensando qué deseo pedir.

Sonreí para mí. Mi familia es genial. Todas estas personas que están aquí esta noche son geniales. Mis amigos, mi novia... ¿qué más podría desear? Tengo una buena vida. Sé lo que puedo esperar, de modo que... deseo... algo nuevo. Deseo lo inesperado.

Entonces respiré hondo y soplé.

3
Cuentos de lo inesperado

Mi propia filmadora. Mía, no prestada sino mía. Estaba tan feliz que quería dormir con ella sobre mi almohada. Creo que hasta entonces había tenido mucha suerte, pues siempre había podido usar alguna. Bueno, al menos por un tiempo. El Sr. Cook, mi profesor de arte, solía prestarme la de la escuela los fines de semana y los feriados, si nadie más la había reservado antes. Es un sujeto muy bueno y sabe que hablo en serio cuando digo que quiero dedicarme al cine. Siempre quise hacerlo. Él también sabe que siempre cuido los equipos y jamás lo decepcionaría. Pero ahora tenía mi propia cámara. No necesitaba firmar comprobantes para retirar la de la escuela. Tampoco tenía que compartirla con Mark Atman, de sexto grado, ni con Trish Donelan, de décimo, que también son fanáticos del cine. Era absolutamente increíble.

El día siguiente a mi cumpleaños me levanté a las seis y fui a la playa de Cawsand para probarla. Esperaba hacer unas tomas del lugar a esa hora de la mañana, mientras el pueblo cobra vida lentamente en torno a la ensenada. Sin embargo, aquella mañana el ambiente se veía tristemente distinto. El cielo estaba cargado de nubes oscuras que amenazaban lluvia y no había mucha luz. Habría mejores mañanas, decidí, y regresé a casa para desayunar antes de ir a la escuela.

Y entonces sucedió.

Estaba subiendo la escalera deprisa, de a dos escalones por vez, cuando pisé mal o resbalé o algo así. Ocurrió tan rápido que caí hacia atrás;

apenas logré darme vuelta para no caer de espaldas. Sin pensarlo, extendí los brazos para no aterrizar de cara y romperme la nariz. Y luego allí quedé, despatarrado al pie de la escalera. Pronto me di cuenta de lo que había pasado: había resbalado sobre uno de los ositos de peluche de Amy. Estaba en la escalera y no lo había visto.

Mamá se asomó por encima de la baranda de la planta alta.

–¿Qué fue todo ese alboroto? –preguntó, y luego me vio allí tendido–. ¿Estás bien?

Me levanté y me recompuse.

–Sí. No me rompí nada.

–¿Qué te pasó?

–Resbalé con el osito de Amy.

Mamá puso los ojos en blanco.

–Esa niña es un peligro. ¿Seguro que estás bien?

Asentí.

–Bien. Pon a calentar agua, entonces. Bajo en un momento.

Fui a la cocina y saqué la videocámara de la mochila para ver si se había dañado. Estaba bastante seguro de que no, pues hoy en día las hacen resistentes, pero de inmediato me di cuenta de que algo no estaba bien. La levanté contra la ventana y miré por el visor. Me dio un vuelco el corazón. La imagen a través de la lente se veía distorsionada.

Al oír los pasos de mamá en la escalera, me apresuré a guardar la cámara en la mochila. No quería preocuparla hasta estar seguro de que se había roto. Quizá sí, quizá no, pero no quería arruinarle el día.

–A veces hay que tener cuidado con lo que se desea –le dije a Mac, cuando me encontré con él en la escuela, durante el almuerzo–. Inesperado no significa necesariamente inesperado en el buen sentido, divertido. No, inesperado puede significar un total y absoluto desastre.

–¿De qué hablas? –me preguntó.

–De lo inesperado. Fue el deseo que pedí cuando soplé las velitas en mi cumpleaños.

Asintió.

–Cierto. Y ¿qué pasó?

–Lo peor que podía pasar: se me rompió la cámara nueva cuando me caí en la escalera. A mí, Zoom, que uso cámaras desde los diez años: rodando en la playa, colgándome de los acantilados, trepando por las rocas, siempre con una cámara encima y jamás se me cayó ninguna, ni una sola vez. Ahora me regalan una fabulosa, nueva, último modelo y ¿qué hago? Tropiezo con un osito de peluche que Amy dejó en la escalera, salgo volando, aterrizo en el piso de mosaicos y... *kaput*.

–¿Se dañó mucho?

–No estoy seguro. Pero creo que sí.

–Podríamos ir a ese lugar en Torpoint donde arreglan cámaras –sugirió Mac–. Iré contigo.

–No puedo. Mi prima Jo trabaja ahí –respondí–. Se enteraría papá o el primo Ed. No puedo llevarla por aquí. No con la tribu en todas las esquinas. Es lo malo de tener parientes por todas partes.

Sí, pensé, podrán conseguirte descuentos, repararte cosas, resolverte problemas, pero cuando quieres hacer algo sin que nadie se entere, tienes que viajar, o correrá la voz como la gripe asiática.

–Entonces, ¿qué vas a hacer? –preguntó Mac.

–Iré a Plymouth –respondí–. Tengo que ir adonde nadie me conozca.

Al cabo de un día angustiantemente largo en la escuela, Mac y yo salimos a buscar una tienda discreta de fotografía en Plymouth.

–Lo siento, amigo, se dañó la lente –me dijo un hombre en una tienda que encontramos en la Ciudad Vieja.

–Pero ¿se puede arreglar? –le pregunté–. Es muy importante.

El hombre volvió a mirar la lente.

–Puede ser, pero no será barato. Por lo que te costaría, te convendría comprarte una nueva.

–Y ¿cuánto sería eso? –pregunté, sumando mentalmente el dinero que había ahorrado repartiendo periódicos.

–Cuatrocientas libras.

Soy hombre muerto, pensé. ¿Cómo podré decírselo a mamá y papá?

Salí de la tienda y fui a buscar a Mac, que había ido por otra calle para comprar unos pasteles al óleo en un local de artículos para dibujo y pintura. Quiere ser caricaturista cuando termine la escuela. Creo que podría llegar a hacerse famoso; es muy bueno. Sabe pintar, dibujar, hacer ilustraciones, pero en realidad lo suyo es la caricatura. Es capaz de retratar a cualquiera con sólo unos trazos de lápiz. Hay que tener talento para eso. Hay que saber captar la esencia de la gente. Es un poco como la fotografía: para eso también hay que saber mirar. Es una de las cosas que tenemos en común como amigos. Podríamos ir a la misma universidad, si encontramos alguna que tenga cursos de cine además de caricatura y animación.

Crucé la calle y, al doblar la esquina, divisé a Mac mirando el escaparate de la tienda artística. Levantó la vista y me hizo señas de que me acercara.

–Oye, ven a ver esto –dijo, y luego vio mi cara–. ¿No traes buenas noticias?

Meneé la cabeza.

–Creo que esta vez voy a necesitar un pequeño milagro. La reparación costará una fortuna. El tipo de la tienda dijo que me convendría más comprar una nueva, pero no tengo tanto dinero y no puedo llevarla a reparar al primo Ed ni a Jo, pues papá se enterará.

–Quizá deberías decírselo –sugirió Mac–. Fue un accidente. Él entenderá, ¿no?

–Sí –respondí–. Y exactamente por eso no quiero decírselo. El hecho de que lo entendiera lo haría aún peor. Sé que mamá y papá hicieron un gran esfuerzo para comprarme esa cámara. No quiero decepcionarlos, como un niño tonto que rompe su juguete en la mañana de Navidad. No, lo que haré es buscar un trabajo para los sábados. Trabajaré en las vacaciones de Pascua. Me las arreglaré.

Mac empezó a sonreír como un imbécil.

—No es gracioso, Mac.

—Lo sé. No sonrío por eso. Sonrío porque alguien allá arriba debe estar velando por ti.

—Sí, claro. Y ¿dónde estaba ese alguien cuando tropecé con el Oso Ruperto?

—Mira en la vidriera —dijo Mac.

—¿Qué quieres que mire? —le pregunté.

—Los avisos —respondió, señalando una cartelera a la izquierda del escaparate—. Verás un pequeño milagro, creo.

Había montones de tarjetas con avisos: se alquila apartamento; se vende bicicleta; se necesita personal de limpieza.

—¿Qué? —pregunté—. ¿Estás sugiriendo que me vaya de casa y me dedique a limpiar? Supongo que podría vender mi bicicleta. Sí. Creo que es una opción...

Mac meneó la cabeza y señaló un aviso que estaba a la izquierda de los demás.

—Ahí, tonto.

Entonces lo vi.

¿Alguna vez quiso trabajar en cine? Aquí está su oportunidad.
Se necesitan: extras, choferes, asistentes de producción,
personal de limpieza y cocineros.
Deben ser del lugar.
Disponibilidad entre el 14 de abril y el 5 de mayo.
¿Quiere saber más? Llame al 07365 88921 y pregunte por Sandra.

Es la respuesta a mis plegarias, pensé.

–Es en las vacaciones de Pascua –exclamé–. ¿Dónde irán exactamente a filmar?

Me volví hacia Mac, pero ya estaba llamando por su teléfono y preguntando por alguien llamado Sandra.

4
Entrevista

–¿Transporte?

–Sí, tengo una bicicleta –respondí.

–¿Móvil?

–Sí. También tengo teléfono.

Estaba en Millbrook, en una oficina diminuta que el equipo de producción había alquilado por un par de días para entrevistar al personal.

El tipo que hacía la entrevista me miró con cara de «No trates de pasarte de listo».

–¿Disponibilidad?

–Veinticuatro horas por día durante las tres semanas de Pascua.

Lo dije en serio. Quería entrar. Moría por entrar. La oportunidad de trabajar en cine era para mí un sueño hecho realidad.

Mi entrevistador no parecía muy mayor. No mucho más de veinte años. El caso es que era muy pagado de sí. Estaba reclinado en su silla, con un par de anteojos de sol a pesar de estar adentro y de que el día estaba nublado. Supongo que pensaba que lo hacían más interesante. A mí me parecía un tonto. Se presentó como Roland, tercer asistente de producción (fuera lo que fuere eso). Lo habilitaba para darse aires de importancia, eso era obvio. Aun así, no importaba: yo podía soportar a un idiota como él si eso implicaba la oportunidad de ser parte de un equipo de filmación durante unas semanas.

En el pueblo se había corrido la voz acerca de la producción el mismo día que Mac y yo vimos el aviso, y todo el mundo quería participar de alguna manera. Se trataba de una producción de *Grandes esperanzas*, la novela de Dickens. El director era un tipo de quien nunca había oído hablar, un tal Charlie Bennett, y el productor era Jason Harwood. Aparentemente era una versión musical del libro. No me pareció de muy buen gusto y, personalmente, no creo que nadie pueda superar la versión de David Lean, pero no iba a discutir. De buen gusto o no, aquello estaba al alcance de mi mano. Nada de tanta importancia había pasado en la zona desde hacía cinco años, cuando habían visto a Tom Cruise en una hostería de Kingsand. Supuestamente: yo aún no creo que haya sido él. Pero esto era seguro.

En la escuela, el último día de clases, todos hablaban de la producción y todos querían ser parte de la acción. Era muy raro que hubiera trabajo durante estas vacaciones, especialmente antes de que comenzara el verano, de modo que la oportunidad de ganar un dinero extra a esa altura del año era algo que no se podía dejar pasar. Cat y Becca ya habían estado en la improvisada oficina en Millbrook y se habían anotado para lavar platos y ayudar en los remolques comedores. Y a las dos les habían prometido que podrían ser extras en cualquier escena donde hubiera una multitud. Mac tampoco iba a perderse la oportunidad de ganar algo de dinero, y se había anotado para lavar autos dos días a la semana. Pero yo quería entrar al corazón del asunto. Quería ser asistente de producción.

–¿Qué sabes del libro? –me preguntó Roland.

–Es un clásico de Dickens. Hubo muchas versiones en cine pero, para mí, la mejor es la de David Lean.

–¿Por qué?

–Fue el maestro de la iluminación.

–Sí, supongo que sí –dijo Roland–. Y Robert de Niro está brillante en el papel de Magwitch.

–Eso fue en la versión posterior. En la que actúa Gwyneth Paltrow.

–Sí. ¿Y?

–En la versión de David Lean, el papel de Magwitch lo hizo Finlay Currie. Jean Simmons fue Estella cuando niña y Valerie Hobson hizo de ella ya mayor.

–Eres un sabelotodo, ¿verdad?

–No, en realidad, no.

–¿Edad?

–Dieciséis.

Roland me miró por encima de sus anteojos de sol.

–Me estás haciendo perder el tiempo, muchacho –dijo, mientras volvía a subirse las gafas sobre la nariz.

–¿Cómo?

–Ya me oíste.

No me agradaba ese sujeto pero estaba decidido a mantenerme amable.

–Y ¿por qué le estoy haciendo perder el tiempo?

–Los asistentes deben ser mayores de dieciocho años.

–¿Dónde dice eso?

Roland señaló su pecho.

–Soy yo quien hace las contrataciones.

–Sí, y no se arrepentirá de darme la oportunidad. Conozco esta zona como la palma de mi mano. Conozco a todo el mundo. Tengo bicicleta, puedo viajar.

Lo miré con lo que esperé que fuera mi sonrisa más cautivante.

–Que pase el siguiente –dijo, y se dio vuelta para hacer una llamada telefónica. Esa fue su despedida. Así terminó mi primera entrevista laboral. Despedido antes de que me contrataran.

–Qué mala suerte –dijo Lia. Había llegado a su casa una hora más tarde y le había contado toda la historia–. Estamos en la cocina. Ven a conocer a... eh... la amiga de mamá.

–Sí, muy mala suerte –respondí, mientras la seguía–. Primera lección para buscar trabajo: nunca des a entender que sabes más que el idiota que hace las contrataciones. Ah, hola, Sra. Axford.

La Sra. Axford estaba sentada en un taburete junto a la mesa, charlando con otra mujer más o menos de su misma edad.

–¿Qué pasó? –preguntó, levantando la vista–. ¿No conseguiste el trabajo? ¿Por qué no?

–Zoom sabía más sobre la película que el tipo que hacía las contrataciones –explicó Lia–. Pensaba que Robert De Niro había actuado en la versión de David Lean de *Grandes esperanzas*.

–No trataba de hacerme el listo ni nada –dije–. Aunque el tipo era medio tonto. Yo sólo expuse los hechos: que en la versión de Lean, Magwitch era Finlay Currie.

La amiga de la Sra. Axford levantó una ceja como si yo hubiera dicho algo gracioso.

–Exactamente –dijo la Sra. Axford, haciéndome una seña para que me acercara a sentarme junto a su amiga–. Siéntate. Te presento a una amiga mía de Londres. La Sra...

–Puedes llamarme Charlotte –la interrumpió su amiga, con voz ronca. Tenía buen aspecto. Atractiva. Cabello rojizo hasta los hombros. Delgada. Probablemente era una ex modelo como la mamá de Lia; tenía los mismos pómulos delicados.

–Y yo soy Zoom –respondí.

–Interesante apodo –observó.

–Lo llamamos Zoom porque siempre está mirando a través de una cámara –explicó Lia.

–Parece que te interesan las películas, Zoom –dijo Charlotte, observándome con atención.

–Mucho, sí. Quiero ser director de cine. Por eso es una verdadera... perdón, una pena, que no me hayan dado el trabajo.

–Y ¿por qué no te lo dieron?

–El tipo que hace las contrataciones me dijo que hay que ser mayor de dieciocho años.

–¿En serio? –dijo Charlotte–. Nunca había oído eso.

–Yo tampoco. Creo que no le caí bien. Fue uno de esos casos clásicos de odio a primera vista.

–Pues es una pena –intervino la Sra. Axford–, porque habrías estado magnífico. Nadie conoce esta zona mejor que tú.

–Es lo que traté de decirle –respondí–. Lástima, ¿no?

Charlotte sonrió.

–Sí, lástima. Y parece que les vendría bien alguien como tú. Alguien que conozca la zona. Yo... eh... leí que ya han tenido dificultades para encontrar locaciones donde filmar. Aparentemente necesitan un lugar para la escena donde Magwitch sorprende al joven Pip en el comienzo. Podría ser un cementerio abandonado.

–El que está camino a Rame Head sería perfecto –dije–. La vegetación está descuidada y tiene un aspecto fantasmal. Pero David Lean usó un cementerio en su versión. Deberían usar algo distinto. ¡Ya sé dónde! Las ruinas de Penlee Point. De hecho, sería estupendo. Serían un excelente escondite para Magwitch, pues las ruinas no se ven desde el camino ni desde la cima del acantilado. Hasta hay lugareños que ni siquiera saben que están ahí. Sí, y además abajo está el mar y se supone que Magwitch escapó de un barco que llevaba prisioneros. Es un sitio muy rocoso y desierto. Por la mañana, a veces hay neblina en ese lado de la península. Con la luz indicada, daría una atmósfera ideal.

Charlotte me miró un momento con atención y sentí que empezaba a ruborizarme. No estaba acostumbrado a que una mujer mayor me mirara así.

–Veo que el cine realmente te apasiona –observó.

Asentí.

–Sí. Y las locaciones son una parte importantísima. Eso y la luz. Es lo que más me gusta del cine. A diferencia del video, donde lo que se ve por la lente es lo que queda, con las películas nunca se sabe hasta que vuelven del laboratorio. La luz puede cambiar. Uno envía la película a procesar y se come las uñas hasta que la recibe de vuelta. Dios, cómo desearía hacer las locaciones de esta película. Por aquí hay muchísimos lugares excelentes pero hay que saber adónde ir y en qué momento del día para captar lo mejor de ellos.

De pronto, sentí timidez. Charlotte seguía mirándome. Probablemente me había dejado llevar un poco, parloteando sin parar. Suelo hacer eso cuando hablo de cine.

–Eh… Zoom –empezó a decir, al tiempo que miraba su reloj–. ¡Epa! Mejor me voy. Tengo un millón de cosas que hacer. –Sacó su teléfono y marcó un número; escuchó y luego suspiró–. Está apagado. Qué fastidio. –Nos miró–. Alguien debía pasar a recogerme.

–¿Adónde necesita ir? –le pregunté.

–Al pub Edgecumbe Arms en el trasbordador de Cremyll.

–Mi tío Bill tiene la compañía local de taxis –dije–. Él podría llevarla. Puedo llamarlo, si quiere.

La Sra. Axford sonrió.

–Te dije que era muy útil conocer a Zoom.

–Oh, no te preocupes –respondió Charlotte, volviendo a levantar una ceja–. Ya me di cuenta de eso.

Ahora sí estaba nervioso. Esta mujer gusta de mí, pensé. Me estaba mirando otra vez con aire inquisidor. De pronto tuve el impulso de ponerme bizco o de hurgarme la nariz. Cualquier cosa con tal de interrumpir la intensidad de aquella mirada. Extrañamente, a Lia no parecía molestarle que aquella mujer me mirara de esa manera. A su mamá, tampoco; de hecho, tenía una extraña sonrisa.

–Charlotte –dijo la Sra. Axford–, ¿no crees que deberías decirle a Zoom quién eres?

Lia asintió.

–Supongo que sí –respondió, sonriendo. Luego se volvió hacia mí–. Debería haberlo dicho ya, en realidad. Soy Charlotte Bennett…

Asentí con gesto amable. ¿Acaso yo debía conocer ese nombre?

Obviamente la respuesta era que sí. ¿Tal vez había sido una modelo famosa, que aparecía en las páginas de *Vogue* en los años sesenta? Mentalmente repasé las que había visto en los libros de fotografía. Twiggy. Jerry Hall. No, Charlotte Bennett no me resultaba conocida. Charlotte Bennett. Charlotte Bennett...

Tardé un momento en darme cuenta, y luego me di una palmada en la frente.

—¡Es Charlie! Diablos. ¡Pensé que era hombre!

Charlotte sonrió.

—Le pasa a la mayoría —dijo—. Y ya que me estoy presentando, creo que también es justo que te diga que el sujeto que hacía las contrataciones... es mi sobrino Roland.

¡Qué mal!, pensé, repasando mentalmente la conversación a toda velocidad. Había insultado a su sobrino, lo había llamado idiota y había parloteado sobre cine como si ella no tuviera nada que ver con el tema, y resultó ser Charlie Bennett, la directora de la película.

—Qué metida de pata —dije—. No me di cuenta. Discúlpenme, mientras voy afuera, cavo un pozo y me entierro en él.

Pero Charlotte reía.

—Eso no es necesario —dijo—. De hecho, una de las cosas que tengo que hacer esta tarde es buscar locaciones. Entonces... estaba pensando, si no es mucha molestia, que tal vez podrías conseguirme un taxi y acompañarme a ver las ruinas en Penlee Point.

—¿Yo? ¿En serio? Sí, seguro.

Rápidamente tomé mi móvil y llamé a la compañía de taxis de mi tío.

Camino a Penlee Point, atravesamos el pueblo de Kingsand. Al pasar por el pub al pie de la colina, divisé a Roland sentado afuera en un banco. Tenía una cerveza en la mano y hablaba por teléfono.

Charlotte puso los ojos en blanco al pasar.

–Se supone que es mi asistente personal además de tercer asistente de producción, lo cual, entre tú y yo, a pesar del título importante, es un mandadero general. Una de sus tareas consiste en trasladarme de un lado a otro, pero nunca logro comunicarme con él; ¡siempre está hablando por teléfono! Entonces, primera lección en un set de filmación, Zoom: si tienes que hacer una llamada personal, por el motivo que sea, sé breve. O mejor aún: no hagas ni recibas llamadas en horario de trabajo. Y siempre mantén el teléfono encendido si estás en la calle. Yo siempre doy con el contestador de Roland.

–Llámeme cuando necesite transporte, querida –le dijo el tío Bill desde el asiento delantero. Me miró por el espejo retrovisor y me guiñó un ojo. Le respondí con una amplia sonrisa. Igual que el resto del pueblo, él también quería participar en la producción.

–No te preocupes, Bill. Ya he grabado el número de tu compañía en mi teléfono –le dijo Charlotte–. Siempre es bueno tener una opción de respaldo.

Después de eso, no volvió a hablar por un rato. Obviamente estaba observando el paisaje mientras avanzábamos por la sinuosa calle principal, rodeando la parte alta del pueblo, y atravesábamos el bosque hacia Penlee Point. Yo sabía que no debía perturbar sus pensamientos. Seguramente estaba viendo las cosas mentalmente como a través del visor de la cámara, imaginando qué lugar quedaría bien para cada escena. Al llegar al final del bosque, el camino se convertía en sendero y luego se abría a un claro. Bill estacionó el auto y se puso a leer el periódico. Charlie y yo seguimos a pie el resto del sendero hasta llegar a una zona cubierta de pasto, donde se desviaba, serpenteante, hacia la derecha.

–Vaya –dijo Charlotte, al ver la vista que se abría ante nosotros–. Esto es hermoso.

Había mar hasta donde alcanzaba la vista. A la izquierda estaba la ensenada de Cawsand y, más allá, la costa se extendía hasta Mount

Edgecumbe; luego, a la distancia, se veía Plymouth. A la derecha, el paisaje era agreste: campos de pasto a lo largo del acantilado que se extendían por muchos kilómetros hasta donde Rame Head se internaba en el mar.

Charlotte –o, como insistió en que la llamara, Charlie– parecía impresionada. Miró alrededor, las rocas, el paisaje barrido por el viento, y asintió.

La llevé hacia el borde del acantilado.

–Absolutamente perfecto –dijo–. Este lugar será estupendo.

–Ah, pero hay más –le dije–. En realidad, estamos en el techo de las ruinas, aunque uno no se daría cuenta.

La conduje por un sendero angosto junto al acantilado, un poco hacia la izquierda. Allí, bajo el promontorio cubierto de pasto, había un escondite en la pared del acantilado. Excavado en la piedra, era una cueva que daba el refugio perfecto.

–El escondite de Magwitch, ¿no crees? –le pregunté.

–Sin duda –respondió Charlie. Riendo entre dientes, señaló los restos ennegrecidos de un fuego y un par de latas de cerveza vacías en un rincón–. De hecho, parece que ya estuvo por aquí.

Nos sentamos en las ruinas y contemplamos la escena un momento; luego Charlie tomó algunas fotos e hizo anotaciones. Ojalá pudiera ver dentro de su cabeza, pensé, con envidia. Seguro que está calculando de qué ángulo conviene filmar, en qué momento del día, dónde acercar la cámara, dónde utilizar tomas más amplias.

Cuando terminó, parecía complacida.

–¿Volvemos a Cremyll, señorita? –le preguntó el tío Bill, cuando volvimos al auto.

Asintió.

–Pero ¿podemos volver a pasar por Kingsand?

–Por donde quiera –respondió Bill.

Va a recoger a su sobrino, pensé. Aún me sentía mal por haberlo criticado, de modo que decidí decir algo para disculparme cuando subiéramos al auto.

–Siento mucho lo que dije antes –comenté, mientras el tío Bill nos llevaba a través del bosque de regreso al pueblo–. No sabía que Roland era tu sobrino.

Charlotte sonrió.

–Es el hijo de mi hermanastra, Janie. Hijo único, cabe agregar. Nunca tuvimos mucha relación pues yo pasé varios años en Estados Unidos. Estoy empezando a conocerlo. Cuando Janie se enteró de que vendría a hacer esta película, me pidió que lo contratara. Él terminó sus estudios sobre medios el verano pasado y esto le da una oportunidad de ver si quiere dedicarse a este rubro. No se sabe cómo es hasta haber trabajado en una película de verdad, y para muchos puede ser un choque. Es mucho más difícil de lo que se imagina. Pero hasta ahora viene haciendo un buen trabajo. –Luego sonrió–. Además de que nunca atiende el teléfono. Pero creo que a la gente hay que darle una oportunidad. Si no, ¿cómo va a aprender?

–Realmente lo siento mucho... No sabía...

Sonrió.

–Oye, no te preocupes. Será mi sobrino pero eso no significa que yo no sepa que a veces puede ser un poco tonto. Pero, como dije, ya aprenderá.

Casi me ahogo de la risa mientras el auto se acercaba al pub donde habíamos visto a Roland más temprano.

–Oye, Bill, ¿podrías ir más despacio un momento? –pidió Charlie cuando divisamos a Roland. Aún estaba en la misma mesa y seguía con el móvil pegado a la oreja. Charlie bajó la ventanilla cuando Bill redujo la velocidad–. Oye, Roland –le dijo–. Trata de mantener la línea libre en horas de trabajo. Ah, y te presento a Zoom. Acabo de contratarlo, así que no olvides agregar su nombre a los registros.

Volvió a subir la ventanilla y el auto aceleró. Me di vuelta para mirar por el vidrio trasero. Roland nos miraba con la boca abierta.

5
El mundo del espectáculo

El lunes siguiente, Mac y yo nos dirigimos en nuestras fieles bicicletas a nuestra primera experiencia en el maravilloso mundo del cine. Me sentía fantástico. De lo mejor. Ese era mi sueño y estaba a punto de hacerse realidad. Trabajaría en el cine y conocería a los famosos.

Nos habíamos enterado de que Savannah, la estrella adolescente estadounidense, haría el papel de Estella cuando joven, y Donny Abreck se tomaría un tiempo de la gira europea de su banda para interpretar a Pip. Mac estaba en el séptimo cielo pues tiene una foto de Savannah en la pared de su habitación. Al menos, la tenía hasta que retiró todas las imágenes de chicas para que Becca no se pusiera celosa cuando entrara a su cuarto. Yo estaba ansioso. Estaría codeándome con los famosos. Sería parte de ese mundo. Nada podía ser más glamoroso. Sentí que éste era el principio del resto de mi vida.

Nos habían dicho que nos presentáramos en la oficina base que se había montado en el estacionamiento, a la derecha de la casa principal, en el terreno de Mount Edgecumbe.

–¡Mira esto! –exclamó Mac cuando entramos en el camino privado y vimos por primera vez el set de filmación.

–Parece como si hubiera llegado el circo –respondí, mientras estacionaba mi bicicleta y observaba todos los remolques, camiones y autos que habían ocupado el estacionamiento en los últimos días.

El set era mucho más grande de lo que había imaginado y ya bullía de actividad. Había gente yendo de aquí para allá con aire ocupado e importante. Había obreros que cargaban escaleras, cables y cajas de herramientas; algunos estaban levantando una marquesina en el fondo del estacionamiento; otros montaban lo que parecían baños externos. Había chicas con abrigos que circulaban con mucha prisa, gritando por sus teléfonos móviles; otros –los actores, supuse– se veían más relajados, esperando en la tienda comedor, bebiendo té y repasando sus guiones.

Un tipo que tenía una chaqueta inflada negra nos señaló la oficina de producción, adonde yo debía ir, y Mac fue hacia el fondo del estacionamiento para empezar su trabajo de lavar autos bajo la mirada atenta del personal de vigilancia. Al salir en busca de Roland, vi a Cat, que me saludaba desde una marquesina con un remolcador detrás, sobre la derecha del estacionamiento. No estaría mal pasar a saludar, pensé, aspirando el incitante aroma de pan tostado y tocino.

–Hay de todo –dijo, señalando las mesas llenas de platos–. Huevos, tocino, panecillos, café, fruta: lo que quieras. Becca y yo no hemos descansado desde que empezamos. Hace apenas una hora pero siento como si hubiera trabajado un día entero. Todo el mundo ha estado comiendo sin parar.

–La fuerza de un ejército está en su estómago –respondí–. Dame un sándwich de tocino.

–Enseguida –dijo Cat, tomando el tocino.

Justo cuando daba el primer bocado, sentí una mano en el hombro.

–¿Ya holgazaneando? –dijo Roland.

–Nuuoo –protesté, con la boca llena de tocino.

Miró el reloj.

–Son las ocho y cuatro minutos. Debías estar aquí a las ocho.

–Y estuve –respondí–. Lo siento. Iba para allá.

Roland echó un vistazo al sándwich que yo tenía en la mano.

–Sí, ya lo veo.

Cat me miró con lástima a espaldas de Roland y luego fue a poner pan en una tostadora.

–Bien –dijo Roland–. Primera tarea. Algunos de los actores son fanáticos de la vida sana y no comerían nada de esto. –Señaló la comida que había en la tienda–. Sólo comen alimentos orgánicos. Entonces, Zoom, supongo que sí tendrán cosas orgánicas aquí en el campo, ¿verdad?

–Sí, creo que sí –respondí.

Sí, por supuesto, quise decirle. ¿Dónde cree que está? Es obvio que, para él, esto está alejado del mundo y hasta le sorprende que tengamos electricidad. Conseguir alimentos orgánicos no sería problema. El papá de Cat tiene el almacén local y vende de todo; algunos productos se los vende el papá de Becca, frescos de su huerta. Pero decidí no pasar por sabelotodo. Necesitaba llevarme bien con Roland y quería que él se sintiera superior.

–«Creo que sí» no sirve –replicó Roland–. Debes estar seguro. Necesitamos comida que no haya sido rociada con productos químicos y que no contenga aditivos. Savannah, por ejemplo, no comerá otra cosa cuando llegue. Y sólo come pan sin trigo; parece que tiene intolerancia a la glucosa. Bien, aquí tienes una lista. Supongo que tendrás que ir hasta Plymouth –prosiguió, con una sonrisa burlona– o incluso a Exeter, de modo que te daré hasta la hora del almuerzo.

Pan comido, pensé. Tardaría diez minutos en llegar al almacén del padre de Cat. Diez minutos allí y otros diez para regresar. Pero no dejaría que Roland se enterara. Obviamente pensaba que me había encomendado una tarea horrible que me llevaría horas. Pensé que no debía desengañarlo.

Mientras caminaba hacia mi bicicleta, me di cuenta de que no me había dado la lista, de modo que volví sobre mis pasos y fui a buscarlo a la oficina de producción. Estaba allí con dos de las chicas a quienes había visto antes.

Sonrió con aire burlón al verme, y levantó la lista.

–Olvidaste esto, ¿no?

–En realidad, tú olvidaste dármela –repliqué, sin pensar–. Y necesito dinero para pagar todo eso.

Me miró como si me compadeciera, contó algunos billetes y luego miró a una de las chicas como diciendo: «¿Qué se puede hacer con estos campesinos estúpidos?».

Me adelanté y tomé la lista.

—Muchísimas gracias, señor.

Una de las chicas rió y Roland quedó perplejo un momento, como si no estuviera del todo seguro de lo que estaba pasando.

Idiota, pensé mientras me iba.

Roland me tuvo yendo y viniendo del pueblo una y otra vez, todo el día. Un actor quería agua mineral, pero sólo *Evian*, ninguna otra marca. Otro actor quería cápsulas de ginkgo biloba, para mejorar la memoria; otro quería tarjetas postales; otro, cigarrillos; otro, sellos postales. Luego alguien quería té *Earl Grey* pero, cuando volví con él, Roland me dijo que tenía que ser descafeinado. Cuando regresé con el té descafeinado, me dijo que otro actor quería té verde. Entonces empecé a darme cuenta de que Roland se estaba burlando de mí. Podría haberse organizado y haberme dado una lista de compras más larga, para poder conseguir todo en un solo viaje. Pero eso no habría sido divertido para él. Obviamente, el hacérmela difícil era una de las ventajas de su puesto. ¿Cómo decía aquella frase?, me pregunté. No me corresponde preguntar por qué, sino sólo obedecer. Eso es todo. Al menos, hasta que yo sea director y tenga mi propio equipo de producción. Entonces, la gente como Roland no podrá poner un pie en mi set.

Alrededor de las cinco, yo volvía de otro viaje cuando vi a una figura conocida caminando por el césped en dirección a uno de los remolques de los actores. Era Martin Bradshawe. Sí, Martin Bradshawe en persona. Actor, pianista y leyenda en su propio tiempo, aunque era pianista antes de volverse muy famoso, y mucha gente que lo conoce por haberlo visto en televisión o en cine no sabe cómo empezó su carrera.

¿Qué estaría haciendo allí? ¿Cuál sería su papel? Sin pensarlo, me acerqué rápidamente y empecé a caminar a su lado.

–Hola, soy asistente de producción. ¿Puedo traerle algo? –le pregunté.

Martin se volvió y sonrió.

–Un café decente y cigarros no me vendrían mal –respondió. Luego señaló hacia el remolque comedor–. La máquina de allá se rompió y sólo pueden preparar instantáneo. Lo siento, pero no bebo instantáneo. Me parece un sacrilegio contra el gran Dios de los Granos de Café.

–¿De filtro o expreso?

–No me tomes el pelo.

–No lo estoy haciendo.

–Expreso.

–Enseguida vuelvo –dije.

Corrí a mi bicicleta y pedaleé a toda velocidad hasta llegar al pub junto al trasbordador. Entré a toda prisa. Ahí estaba mi primo Arthur tras la barra, como siempre.

–¿Todo bien, Arthur?

Arthur gruñó. Nunca le gustó mucho conversar, pero sí le gustaba el café. Tenía una máquina de capuccino, una máquina de filtro, una cafetera de émbolo y muchos otros artefactos para preparar café. Se había casado el año anterior y, en broma, muchos parientes le habían regalado cafeteras para su boda. «Al menos no son tostadoras, como siempre», había dicho mi tío Bill. Ahora Arthur tiene la mejor colección de cafeteras del sudoeste. Al cabo de unos minutos, tenía un termo de café fresco y caliente y estaba corriendo de vuelta al remolque de los actores.

Martin no podía creerlo. Tampoco podía creer que yo supiera de su carrera como músico.

–Por supuesto –le dije–. Mi papá tiene todos sus CDs. Yo crecí escuchando su música.

Después de eso, conversamos mucho. Averigüé que él hacía el papel del Sr. Jaggers, el abogado, y nos pusimos a hablar de música, películas y café. Estábamos llevándonos de primera, hablando de nuestras películas preferidas (la suya era *Citizen Kane*, dirigida por Orson Welles, y la mía, *Reservoir Dogs*, dirigida por Quentin Tarantino), cuando de pronto apareció una silueta oscura en la puerta del remolque. Era Roland.

–Ah, Zoom. ¿Dónde estuviste?

–Esteee... fui a buscar café para el Sr. Bradshawe –balbuceé. No había tenido un descanso en todo el día y pensé que estaría bien charlar con Martin unos minutos.

–Y ¿qué haces aquí?

–Eh... converso con el Sr. Bradshawe.

–Quiero hablar contigo en privado –dijo Roland, y me dirigió una sonrisa falsa al tiempo que me hacía señas para salir.

Lo seguí y apenas estuvimos fuera de alcance, se volvió hacia mí con expresión furiosa.

–¿Qué diablos hacías ahí adentro?

–Sólo conversaba –respondí–. No podía creerlo. Martin Bradshawe. Es una leyenda.

Era obvio que Roland no compartía mi entusiasmo.

–Leyenda o no, no te acerques a los remolques de los actores. A ellos no les interesan los chicos como tú. No trates de hacerte amigo de ellos. No quieren eso. Tienes que saber cuál es tu lugar en un set como éste. Las estrellas están por un lado, los asistentes por otro y no se mezclan.

–Estábamos llevándonos muy bien.

–Sólo era amable contigo.

–Yo trataba de hacerlo sentir cómodo.

–No es tu trabajo, amigo.

Una parte de mí quería replicar: «No soy tu amigo, amigo» pero me mordí la lengua. Apenas era mi primer día y no quería arruinar las cosas con él. Me gustara o no, era quien me daba las órdenes y yo tenía que acatarlas.

Miré mi reloj. Faltaba sólo media hora para terminar el día.

–¿Qué quieres que haga ahora? –le pregunté.

Roland sonrió.

–Savannah llegará el fin de semana. Su remolque necesita un poco de limpieza, no demasiada.

No hay problema, pensé. Puedo limpiar. Siempre hice mi parte de las tareas en casa. Mamá dice que no quiere que sus hijos salgan al mundo sin saber cuidarse solos.

–Por aquí –dijo Roland, señalando un remolque grande que estaba a la izquierda del estacionamiento.

Cuando empezó a caminar hacia el remolque, hice un saludo militar a sus espaldas y empecé a marchar tras él como si fuera un oficial del ejército y yo, un soldado. Martin Bradshawe salió y se detuvo en los escalones de su remolque. Vi que reía.

–Ella tiene sus instalaciones privadas –explicó Roland, mientras subíamos a una enorme casa rodante. Por dentro era fabulosa. Como una de esas habitaciones que se ven por la tele en los programas de decoración, luego de la intervención de los expertos: simple, de buen gusto, todo en colores suaves, muebles minimalistas.

–A mí me parece inmaculado –observé.

–Sí, así debería ser –repuso Roland–. La gente de limpieza estuvo aquí todo el día, pero acaban de irse y les faltó limpiar esta parte… –Abrió una puerta sobre la derecha del remolque–. Huele como si aquí hubiera estado un cerdo.

No hubo necesidad de que me dijera más. El hedor del cuarto de baño completó la historia. Era un asco. Era impensable que una chica como Savannah lo usara. Probablemente demandaría a la producción.

–Lo dejaron cerrado y obviamente no lo limpiaron desde la última vez que se usó –explicó Roland–. Hay que airearlo, fregarlo, desinfectarlo… Quiero que huela a rosas cuando termines.

Dicho eso, se fue, pero no antes de dirigirme una sonrisa amplia y descarada. Estaba disfrutando cada segundo. Eché otro vistazo al cuarto maloliente. Supuestamente debía terminar a las seis, pero esa tarea me llevaría horas.

Me dirigí hacia el remolque de limpieza y me encontré con Mac, que se preparaba para irse a casa. Me mostró las manos.

–Si tengo que lavar un auto más, creo que perderé las ganas de vivir –dijo.

–¿Un día duro? –le pregunté.

Mac asintió; después se encogió de hombros y meneó la cabeza.

–Sí... Bueno, en realidad, no. Estuvo bien. Aquí hay gente agradable y nos hemos divertido. Es sólo que lavar autos se vuelve aburrido después de los primeros. Pero lo compensé al conocer a algunas de las maquilladoras. ¿Ya las viste?

Meneé la cabeza.

–Unas bellezas. Como las chicas que venden los productos de maquillaje en las grandes tiendas. Son una raza aparte. Una de ellas, Julie, siempre me pregunta si descansé, si tomé algo y cosas así. Creo que quiere llevarme a su casa para protegerme.

–Que no te atrape Becca –le advertí.

–Lo sé –respondió Mac–. Me ha estado vigilando como un halcón. Pero no te preocupes, sólo es un poco de diversión. Julie tendrá probablemente el doble de mi edad. Y ¿cómo fue tu día?

Le conté sobre todos los viajes al pueblo y sobre la última tarea que me había encomendado Roland.

–Qué mal –dijo–. Vamos, te ayudaré a llevar algunas cosas.

Juntamos algunos productos de limpieza del armario de provisiones y luego, con guantes de goma y cubo en mano, nos dirigimos a la casa rodante de Savannah. Apenas abrí la puerta del baño, Mac se tapó la nariz.

–Uau, qué olor –dijo, con una mueca–. ¿Quién estuvo antes en este remolque? ¿Un montón de fanáticos del fútbol que comieron encurtidos y huevos al curry?

–A juzgar por el olor, parece que sí –respondí–. Bueno, gracias por ayudarme a traer las cosas. Supongo que ya te vas.

Mac miró su reloj.

–Sí, ya terminó mi turno. –Echó un vistazo al cuarto–. Esto te llevará horas.

Asentí.

–Ya lo creo. Será mejor que empiece...

Mac suspiró.

–Diablos, no puedo dejarte con todo esto. Te daré una mano. El trabajo compartido es más llevadero.

Le habría dado un abrazo.

–Qué buen amigo –dije–. Te debo una.

Y así terminé mi primer día: en cuatro patas en un baño muy sucio.

–Bienvenido al glamoroso mundo del cine –rió Mac, mientras echaba desinfectante de pino en el inodoro.

–Sí, claro –respondí, arrodillándome para limpiar unos restos de jabón muy pegajosos en el piso del compartimento de la ducha–. Puaj.

Mac sonrió.

–De acuerdo, es hora de cantar una canción. Listo... Uno, dos, uno dos tres...

–*There's no business like show business* –cantamos, tratando de ignorar el olor, y seguimos fregando.

6
Deslumbrado

Durante la primera semana, limpié, hice mandados, fui y volví. Por la noche caía rendido y a la mañana me costaba levantarme. En la oficina de producción, ya era obvio que a Roland no le agradaba, y no había nada que yo pudiera hacer para cambiar eso. A veces, Charlie me saludaba desde lejos al verme y una vez incluso se acercó y me preguntó cómo me estaba yendo. «Genial», le respondí. No iba a irle con cuentos sobre la Rata Roland. Toda mi vida he tenido que tratar con chicos como él. En la escuela siempre hay uno, de modo que no era nada nuevo.

Al final de la semana, estaba agotado. Era un trabajo muy duro y otros chicos de la escuela renunciaron. Pero para mí, esa opción no existía: aún tenía que cambiar o reparar mi cámara, y a pesar de tanto trabajo, en general lo estaba disfrutando inmensamente y no me habría perdido esa experiencia por nada del mundo.

El sábado por la mañana, me levanté más temprano que de costumbre. Era el gran día: llegaba Savannah y quería asegurarme de causarle una buena impresión. Aunque había otros famosos en la producción, ella sería mi primer encuentro con una superestrella. Savannah y Donny Abreck eran los únicos dos que eran muy famosos, conocidos en todo el mundo. Era increíble poder estar en el mismo set que ellos.

Mientras llegaba al baño casi a tientas y buscaba mi afeitadora, mis pensamientos se volcaron hacia Lia. El día anterior había metido la pata con ella. Me había llamado para contarme que Charlie la había invitado a participar como extra en la escena del baño que filmarían hoy.

–¿Tú? –le dije. Creo que debo haber sonado incrédulo, pues se quedó callada un momento.

–Sí, yo –dijo, por fin–. ¿Por qué no?

–Por muchas razones –respondí–. Charlie debe estar loca. Yo nunca te pondría a ti como extra...

Me colgó antes de que alcanzara a explicarle que un extra tiene que mantenerse al margen y que una chica tan hermosa como ella distraería mucho la atención de la acción principal. Luego dejó el contestador puesto toda la noche. Le dejé montones de mensajes pidiéndole que me llamara, pero no lo hizo.

Debo aclarar las cosas con ella, pensé, mientras buscaba la espuma de afeitar de papá. ¡Hora de mi afeitada quincenal! Es raro afeitarse, pensé mientras esparcía la espuma por mi cara. Durante años había esperado que me creciera suficiente vello facial para afeitarme, creyendo que, cuando al fin sucediera, me convertiría en adulto de un día para otro. Pero ahora que he empezado a afeitarme con regularidad, me doy cuenta de que puede llegar a ser un fastidio. Lleva tiempo y hay que tener mucho cuidado de no cortarse, pues aunque hay hojas con protección, no toman en cuenta que los adolescentes suelen tener granos. Si se corta uno de esos, sangra como para llamar a Emergencias.

Las chicas creen que lo pasan mal con sus períodos y todo eso, pero es sólo una vez al mes. Un hombre tiene que afeitarse todos los días. Bueno, con el tiempo; por ahora yo lo hago cada dos semanas, pero hasta eso es aburrido. ¿Por qué no podrá uno afeitarse una sola vez y ya? Es decir, ¿de dónde sigue viniendo todo ese pelo? Cuando era pequeña, Cat tenía una muñeca que tenía todo el pelo enroscado dentro de la cabeza, y se lo podía estirar hacia afuera o recoger hacia adentro para que la muñeca tuviera el pelo largo o corto. Cuando yo era chico, solía pensar que con las personas pasaba lo mismo. Que todos teníamos una cantidad fija de pelo guardada en el cuerpo, enroscado como el de la muñeca, y que crecía hasta que ya no quedaba más y entonces la gente se quedaba calva. ¿De dónde viene el pelo?, me pregunté, mientras me afeitaba con cuidado el mentón. En realidad no hay mucho ahí, pero suficiente para parecer descuidado si se deja.

Esperaba que me creciera pelo en el pecho, pero no creo que eso suceda. Hasta ahora, tengo cuatro pelos: tres hacia la izquierda y uno a la derecha. Lo demás está normal: axilas, piernas, pubis. Mac sabe algo interesante en relación con los vellos púbicos. Se lo enseñó un amigo suyo de Londres. (Él vivió allá, antes de que sus padres se divorciaran.) Te sacas algunos vellos púbicos y los pones en un cenicero o algo así. Luego los enciendes con una cerilla. Es asombroso: bailan. En serio, bailan. Es divertidísimo. Por supuesto, después de que Mac me lo mostró, quisimos enseñárselo a Cat, Becca y Lia para ver si los vellos púbicos de las chicas hacían lo mismo. Pero se pusieron todas tímidas y pudorosas y dijeron que no era cosa de mujeres. A las chicas no les impresionan esas cosas.

Tampoco quisieron ver cómo Mac prende fuego a sus pedos. Es un maestro, y podría haber sido el centro de atención en las fiestas con eso, salvo que sólo los muchachos querían mirar, mientras que las chicas se hacían las femeninas y ponían cara de asco. A mí no me engañan: sé que las chicas también se tiran pedos, aunque supongo que lo llaman eliminar gases o algo así; de la misma manera que cuando los chicos sudamos, a ellas sólo les brilla la piel. Qué tontería. Todos tenemos un cuerpo y funciones corporales, y a veces uno necesita soltarse uno bueno. Pero Mac va demasiado lejos. Los avienta hacia uno, y lo comenta como si se tratara de un buen vino. «Ummm, prueba este», dice con orgullo. «Intenso y sabroso, con un toque de brócoli.» Si se lo propone, puede desalojar una habitación con uno de sus S. P. M. (silenciosos pero mortales). A veces a las chicas no les gusta que hagamos cosas de varones delante de ellas, se espantan, de modo que ahora trato de guardarlas para cuando Mac y yo estamos solos.

Mis pensamientos errantes sobre el tema del vello púbico y los gases se interrumpieron cuando mis ojos dieron con la pasta dental y recordé algo que Mac me había dicho que probara con ella, la noche anterior, cuando lo dejé en su casa. Miré el reloj. Tenía unos minutos. Podía hacer la prueba. Era algo que había leído en una revista. Una de esas revistas que supuestamente no debería tener, cabe agregar. De las que no están tan a mano en los puestos de revistas, y se encuentran debajo del colchón de Mac.

–La revista decía que si te pones pasta dental en el amigo, se hace más grande –dijo.

–Mentira –respondí.

–En serio –insistió–. Tiene algo que ver con el efecto estimulante del mentol, que hace que la sangre fluya hacia el pene y crezca. Algo así. Parecía muy científico.

Por supuesto, memoricé ese dato inmediatamente, pues el tamaño del amigo es una de mis inquietudes íntimas. Es decir, ¿cómo se puede saber qué es grande, pequeño o mediano? Supongo que a las chicas les pasará algo similar con el tamaño de su trasero o de sus pechos. La preocupación de los varones es cómo se comparan con otros en ese aspecto.

Bien, veamos si da resultado, pensé, mientras destapaba el tubo y me aplicaba una capa generosa de pasta dental.

Unos veinte segundos después, empecé a sentir el efecto del mentol.

–¡AhhhhhhhhhhhhhhhhhhhhhhhhhhhhhhhhhhhhhHHHHH! ¡Oh, oh, oh, aah, aah, ahhhhhhhhhhhhhhhhhhhhhhhhHHHHH!

Los ojos se me llenaron de lágrimas, me quedé sin aliento y el pene me ardía como si me lo hubieran puesto en una picadora de carne. ¡Vaya efecto estimulante! Estaba a punto de explotar. ¿Qué podía hacer? En alguna parte de mi cerebro, recordé algo de un curso de primeros auxilios que había hecho años atrás, acerca de que la leche es un buen neutralizador y tiene propiedades calmantes. En todo caso, al menos estaría fría. Tengo que ir abajo. ¿Por qué hice la prueba? Qué estúpido. Fue un grandísimo error, pensé, mientras corría abajo. Tengo que acordarme de asesinar a Mac cuando lo vea, si no muero antes. Ya imagino los titulares: «Adolescente destruye su pene en un experimento con pasta dental». En mi lápida, escribirán: «Murió joven con sus partes íntimas mentoladas». Ayyyyyyy. Tal vez usé una marca equivocada, o algo así. ¡Cómo dolía! Pensé que iba a desmayarme.

Llegué a la cocina. Por suerte, no había nadie.

Abrí la puerta del refrigerador. Leche. ¿Dónde estaba? La Ley de Murphy: apenas quedaban unas gotas y aún faltaba media hora para que viniera el lechero. ¿Qué otra cosa? Necesito algo frío, algo que me calme el ardor. Revisé el contenido del refrigerador. ¿Un cartón de sopa minestrón? No lo creo. ¿Verduras? No. ¿Jamón? ¿Queso? El ardor era cada vez peor. «Rápido, Zoom, haz algo», clamaba mi pobre amigo. ¡Yogur! Había uno en el fondo del estante superior. Sabor a fresa. Eso servirá, pensé, mientras lo tomaba rápidamente, le quitaba la tapa y hundía mi pene en el líquido suave y fresco.

–Ahhhh –suspiré, cuando el ardor empezó a ceder.

Lamentablemente, justo en ese momento, entró papá por la puerta trasera. ¿Cómo le explico esto?, pensé, cuando se detuvo en medio de su silbido y me miró con curiosidad. Tenía que inventar algo, pero ¿qué? ¿Cómo contárselo? Podía decirle que sólo probaba el truco de la pasta dental en mi amigo. Ya sabes cómo es esto, ¿no, papá?

En cambio, esbocé una sonrisa culpable y dije:

–Yogur de fresa… mi preferido.

Papá me miró con extrañeza.

–Tu pito no es una cuchara, hijo –respondió. Meneó la cabeza como si no acabara de creer lo que veía; luego suspiró y masculló algo acerca de la adolescencia, antes de ir a la planta alta.

Gracias al cielo, el yogur funcionó. ¿Acaso había hecho algo mal?, me pregunté, mientras subía detrás de papá, unos minutos después. Tal vez hay que usar marcas de pasta dental con flúor. En la escalera me crucé con papá; esta vez él bajaba.

–¿Estás bien? –me preguntó, preocupado.

–Estoy bien –masculle.

No sé por qué se preocupa. No soy el único de la familia que está obsesionado con su pito. Recuerdo que, cuando Will tenía unos tres años, mamá lo encontró en el jardín frotando la punta del suyo con un cepillo de dientes. Cuando le preguntó qué estaba haciendo, respondió: «Le estoy limpiando los dientes». A todos nos pareció muy gracioso. Pero, incluso a esa edad, él veía a su pene como algo con identidad propia. Las chicas son muy afortunadas al no tener uno.

Una vez afeitado y duchado, le robé a papá un poco de su colonia *Armani* y fui a vestirme: camiseta blanca, jeans *Levi's*, unas *Converse All Star*. Mi look de James Dean en *Rebel Without a Cause*, que completé con la importantísima chaqueta de cuero y anteojos de sol. Un poco de gel para levantarme el pelo y ya estaba listo para salir.

El siguiente punto en la agenda era pasar a recoger a Mac. Como yo, él también olía a colonia cara. Supongo que estaba ansioso por conocer a Savannah.

–¿*Chanel* para hombres? –le pregunté.

–Me la regaló mamá para Navidad –respondió, y luego me olfateó el cuello–. ¿*Armani*?

–Sólo lo mejor –dije, mientras nos poníamos en marcha en nuestras bicicletas–. Esteee... probé eso de la pasta dental. No te lo recomiendo.

Mac rió.

–Yo también. Digo, yo tampoco. Sólo que no encontré la pasta dental, entonces decidí probar con otra cosa que tuviera mentol: una crema para los dolores musculares. Casi me desmayo.

–Ya lo creo –respondí, y luego le conté sobre mi conversación con Lia.

–¿Y ahora no te habla? –preguntó.

Asentí.

–Voy a pedirle a Cat que hable con ella por mí –agregué por encima del hombro.

Apenas llegamos al set, fui a la tienda comedor en busca de Cat y le pedí que intentara comunicarse con Lia por mí.

–No sabes mucho sobre chicas, ¿verdad? –dijo, cuando le conté la reacción de Lia.

–¿Por qué dices eso?

–Probablemente, Lia pensó que te referías a que no la elegirías como extra porque no lo haría bien.

–Pero me conoce, debería saber que no quise decir eso.

–Entonces, ¿por qué no la elegirías como extra? –preguntó, mientras servía té de una tetera enorme.

–Porque los extras deben estar en un segundo plano, mezclarse en la multitud –le expliqué–. Nadie debería apartar la atención del público de los protagonistas, de lo que ocurre en primer plano. Si pones a una chica tan hermosa como Lia en el fondo, ¿qué pasa? Tenemos una gran distracción. Por eso me parece que están cometiendo un gran error.

–Ah, entiendo –dijo Cat–. Oye, eso es muy dulce. ¿Por qué no se lo dijiste?

–Porque, estúpido como soy, me salió todo mal. O, en todo caso, no me salió. A veces olvido que la gente no puede leerme la mente. Entonces, ¿se lo dirás por mí?

–Claro.

Durante la mayor parte del día se preparó el set para la escena del baile, y no vi a casi nadie. Por todos lados había actividad, un ajetreo de gente que intentaba hacerlo todo a tiempo. Por supuesto, Roland tenía que decir algo para que no molestáramos a Savannah cuando llegara. A media tarde, reunió al equipo de asistentes.

—A Savannah no le gusta mezclarse con el resto del equipo, de modo que debemos respetar su deseo de privacidad como artista. ¿Entendido, Zoom? –dijo, mirándome–. Me refiero a ti en particular. Ya he visto cuánto te atraen las estrellas y no quiero que te comportes como un campesino que nunca vio a un famoso.

Como si lo fuera, pensé. Yo tengo mucha más onda. ¿Por qué tuvo que decir algo así delante de los demás? Me hizo quedar como un imbécil. Pero supongo que ésa era precisamente su intención.

—Ni siquiera posaré mis ojos en ella, señor –respondí–. Miraré hacia abajo, me quitaré la gorra a su paso, señor.

Roland me miró con odio y luego empezó a distribuir la siguiente ronda de tareas. A mí me tocó llevar a la casa principal la ropa que usaría Savannah, para que pudiera cambiarse allí más tarde. Era un vestido bellísimo, todo de encaje con diminutos botones de perlas. Era auténtico, prestado por un museo de Londres.

No había comido nada desde el desayuno y, cuando volví a la oficina luego de entregar el vestido, estaba famélico. Eché un vistazo rápido a la tienda comedor y, como el almuerzo había terminado hacía tiempo, una de las chicas me llenó el plato con lo que quedaba: rosquillas. Había algunas fabulosas: frescas, azucaradas y con mermelada. Comí una y me guardé un par en los bolsillos para comer más tarde.

Decidí llevarle una a Mac, pues sé que le encantan las rosquillas. Justo cuando cruzaba el centro del campamento, vi a Lia conversando con Cat y Becca frente a los baños. Cat me hizo una seña con el pulgar levantado, para indicar que había explicado a Lia lo que yo había querido decir con eso de que no la pondría como extra. Lia levantó la vista y sonrió, y sentí que mi corazón empezaba a latir muy fuerte en mi pecho, como me pasaba siempre que la veía. Todo bien, pensé. Me sentía excelente y quise demostrarle lo contento que estaba. Hay una sola cosa que un muchacho puede hacer en una situación como ésa para demostrar lo que siente, y es mostrar su repertorio de caminatas tontas como Jim Carrey en

The Mask. Saqué pecho, doblé las rodillas y empecé a estirar la cabeza adelante y atrás como una paloma, dando unos pasos. Las chicas se morían de la risa. Alentado por eso, empecé a hacer mi imitación de una bailarina egipcia haciendo la danza de la arena.

De pronto vi que la cara de Becca mostraba sorpresa. Señaló hacia el remolque de Savannah y empezó a agitar los brazos para que me detuviera.

–Dios mío, no sabía que había llegado –la oí decir.

Me volví hacia donde ella miraba. Había una bonita pelirroja en la ventanilla de la casa rodante. Pero no cualquier pelirroja bonita. Era Savannah, la única. Había estado observándome hacer mis payasadas y estaba riendo. Mis rodillas se convirtieron en jalea y luego mis piernas parecían de goma. No sabía si ir hacia atrás, adelante o al costado. Sentía mucha vergüenza de que me hubiera estado mirando, de que aún me mirara. Esbocé un saludo con la mano y me adelanté.

Por mirar a Savannah, no vi que había un rollo de cable delante de mí, tropecé y caí de cara al suelo. Hmm, qué buena manera de causar una excelente primera impresión, pensé, mientras la mermelada de las rosquillas que tenía en los bolsillos salía disparada hacia todas partes.

Giré hasta quedar tendido de espaldas y empecé a incorporarme. En un abrir y cerrar de ojos, Savannah abrió la puerta de su remolque, corrió hasta mí, se arrodilló a mi lado y me miraba, preocupada.

–¿Te encuentras bien? –preguntó–. Estás sangrando.

Miró alrededor pero las chicas desaparecieron y sólo estaba Roland, que acababa de llegar desde el remolque de producción.

–¿Hay un remolque médico? –preguntó Savannah–. ¿Alguien que pueda ayudar? ¡Por favor, que alguien haga algo!

Roland se detuvo junto a nosotros, confundido.

Savannah volvió a inclinarse sobre mí y me miró a los ojos.

–Quédate quieto. Conseguiremos ayuda.

Aunque era muy tentador quedarme allí y hacerme el tonto, pensé que era mejor aclarar las cosas. Pero entonces Roland se pondría furioso.

Quizá sí debería quedarme quieto. Dios mío, pensé, recordando el sermón de Roland acerca de que no miráramos siquiera a Savannah. Ahora, allí estaba yo, con mi cabeza sobre su falda y la nariz casi en sus famosísimos pechos. No era el decoroso primer encuentro que yo había imaginado.

–Eh... mermelada –admití–. Es mermelada, no sangre. Lo siento. De frambuesa, para ser más exacto. Rosquillas.

Me senté y le mostré las rosquillas aplastadas. Sus ojos se abrieron mucho.

–¿Rosquillas?

Asentí, preguntándome si ella iba a ponerse furiosa y hacer que me despidieran. Roland había dicho que no le gustaba mezclarse con el resto del equipo. Pero no: siguió inclinada sobre mí y me susurró al oído con su bonito acento tejano.

–¿Me consigues algunas? Adoro las rosquillas, pero mis estúpidos cuidadores sólo me dejan comer comida sana.

Le sonreí.

–Considéralo un hecho.

Se puso de pie.

–¿Cómo te llamas?

–Zoom.

Rió.

–Es lo que necesitarás ahora para ver tus rosquillas, ¿no? Bueno, te espero en mi remolque en cinco minutos. –Luego miró a Roland–. Y tú, ¿quién eres?

–Eh... tercer asistente de producción –respondió, con lo que supongo que quiso ser una sonrisa conquistadora–. Llámame Roland.

Ella le dio la espalda.

–Como sea –dijo, y dirigiéndome un guiño cómplice, se alejó con aire importante.

«¡BRAVO!», exclamó una voz triunfante en mi mente.

7
Desastre

En los días siguientes a su llegada, Savannah pareció adoptarme como asistente personal: me llamaba a su remolque a primera hora de la mañana y seguía haciéndolo durante el día. Fue la única de todo el elenco que pidió mi número de teléfono móvil y, cuando lo tuvo, vaya si lo usaba. «Zoom, cariño... ¿sabes dónde podría conseguir...?» Sus pedidos eran interminables. Roland no estaba muy contento con eso, pero no podía hacer mucho al respecto: la estrella era Savannah, no él. Y ella era increíble. Una verdadera celebridad. Era un honor hacer mandados para ella.

–Debería mandarse hacer una camiseta que dijera: «Tengo comitiva, puedo viajar», bromeó Mac, al ver cuántas personas la acompañaban. Hank y Mitch, los hombres de seguridad; Marie Anne, la masajista privada que también era su profesora de yoga; Jons, el estilista; la peinadora, Chantelle, y el chef llamado Tone.

Algunas de las cosas que me pedía eran locuras. Por ejemplo, me mandaba a comprarle confites pero luego me hacía sacar todos los rojos porque no le gustaba el color. Mac me dijo que los chupara para quitarles el rojo y volviera a ponerlos en el envase, pero en vez de hacer eso los guardaba y se los daba a Lia; a ella también le gustan esos confites. Hubo que sacar todas las bellísimas rosas amarillas que habían puesto en su remolque y tuve que correr a buscar rosas blancas, pues ella no quería otras flores que las blancas, preferiblemente azucenas.

Luego tuve que ir a Plymouth a buscar una marca en particular de pasta dental, una que no tenía menta ni mentol, porque ella estaba tomando remedios homeopáticos y la menta interfería con ellos (entre otras cosas, pensé, recordando mi propia experiencia con el mentol). Luego tuve que volver a Plymouth a buscar una marca en especial de papel higiénico. En cada viaje, sonaba mi móvil y ella me susurraba que le llevara alguna golosina de contrabando: una barra de chocolate, por ejemplo. Después sentía culpa por haberse salido de su dieta orgánica y yo tenía que ir a buscarle una marca especial de agua mineral que, por suerte, el papá de Cat tenía en su tienda. La había conseguido después de que el periódico local publicó un artículo sobre todos los productos químicos que hay en nuestro sistema de agua, y todo el mundo fue en masa a comprar agua embotellada.

–¿Así que ahora eres su esclavo privado? –me preguntó Lia cuando volví a la oficina de producción con otra bolsa de compras para Savannah.

–Parece que sí –respondí, sonriendo–. ¿Por qué? ¿Estás celosa?

El rostro de Lia se ensombreció por un momento.

–¿Tengo motivos para estarlo?

–En absoluto –respondí, y la rodeé con mi brazo–. Ya sabes que sólo tengo ojos para ti.

Al decir eso, saqué un par de ojos de vidrio que había comprado el día anterior en un negocio de bromas de Plymouth. Creo que los chicos siempre están buscando artículos para hacer bromas a los demás. Mi familia los colecciona. Hasta ahora, tenemos los senos de plástico, una mano falsa (buena para estrechar la mano de la gente y dejar que se suelte), un brazo falso (ideal para ponerlo junto a un neumático y que parezca que hay alguien aplastado debajo) y una variada colección de pelucas.

Lia no pudo contener la risa.

–Estás loco –dijo–. Pero ponte serio por un momento. Recuerda la promesa que nos hicimos el día de tu cumpleaños, de decirnos siempre la verdad. Eso incluye decir al otro si nos gusta otra persona.

–Me gustas tú –respondí, eludiendo el tema. No quería herir los sentimientos de Lia. Claro que me gustaba Savannah; es una belleza y yo estaba impresionado con ella. Pero alguien tan famoso jamás buscaría a un don nadie como yo, ni en un millón de años. No estoy en carrera, entonces ¿para qué causar problemas?

Fue al final de la segunda semana de filmación que las cosas empeoraron entre Roland y yo. La escena del baile había salido bien, pero Charlie quería hacer nuevas tomas de Savannah con el hermoso vestido antiguo. Sólo que el vestido ya no estaba tan hermoso. Se corrió la voz de que tenía una mancha enorme en la parte delantera, y adivinen a quién le echaron la culpa... Exacto: a mí. Pero yo sabía que la última vez que había visto el vestido había sido al entregarlo el sábado, justo antes del incidente con las rosquillas, y hasta entonces no tenía ninguna mancha. Creo que yo recordaría si hubiese derramado sobre él algo que pareciera café. Se hablaba de eso en la producción: qué desastre, Zoom es un torpe, el museo nos va a demandar... Para empeorar las cosas, lo necesitaban para la toma de esa noche, para que Charlie no se atrasara y no se saliera del presupuesto. Todo estaba listo para la escena; después Rosie, la vestuarista, descubrió el vestido. Mandó a buscar a Roland y él me mandó a buscar a mí.

Corrí a la oficina de producción.

–¡Eres un imbécil! –me gritó.

–Pero no fui yo –protesté–. En serio. Para empezar, yo no bebo café.

–Qué convincente –dijo Roland, con una mirada donde se veía que, dijera lo que dijera, no me creería.

–De nada sirve llorar sobre la leche derramada –dijo Charlie, que entró al remolque detrás de nosotros–. Dejemos esto de quién tiene la culpa y quién no. Resolvamos la situación. Tenemos un problema; ¿podemos hallar una solución?

–¿Para qué hora necesitas el vestido? –le pregunté.

–Tiene que ser nuevamente una toma nocturna, de modo que podemos empezar apenas se ponga el sol. Digamos, como a las nueve, nueve y cuarto. –Miró su reloj e hizo una mueca–. Ya son más de las seis y media, de modo que las tintorerías ya habrán cerrado, y no podemos tocar un vestido como ése nosotros mismos o el museo realmente va a demandarnos. Tiene que ser hecho por un profesional, y aun así no sé si se puede quitar la mancha. –Luego nos miró a los dos–. Estas cosas pasan. Se cometen errores, se rompen cosas. Es de esperar en un set tan grande. Pero lo que me molesta es que quienquiera que haya hecho esto no me haya avisado de inmediato, cuando las tintorerías aún estaban abiertas y se podía hacer algo.

Roland me dirigió una mirada de odio. Yo le respondí con otra.

–Mi tía Bea puede arreglarlo –dije–. Tiene una tintorería en Torpoint.

–Pero ¿estará abierta? –preguntó Charlie.

Meneé la cabeza.

–Pero la abrirá para mí –dije. Me sentía muy mal por el vestido. Aunque sabía que no lo había arruinado yo, odiaba pensar que Charlie creyera que sí–. No te preocupes. Tengo amigos influyentes.

Charlie me sonrió.

–Si logras resolver esto, te daré tu primer empleo cuando termines la escuela.

No necesité oír más. Llamé al tío Bill, que me llevó en su taxi; no quería correr el riesgo de llevar el vestido en mi bicicleta. Fuimos a toda velocidad hasta la casa de tía Bea. Al principio se molestó un poco porque justo estaba sentándose a mirar la tele con una taza de té, pero cuando le dije que era para Savannah, se alegró de poder ayudar. Igual que todos en la zona, quería poder contar que había participado en la producción. Una hora y media más tarde, estábamos de vuelta en el set.

–Quedó como nuevo –declaré, entregando el vestido a Rosie–. Bueno, no nuevo porque es antiguo, pero tan bien como estaba antes de que se le derramara café encima.

—Eres un sol —dijo, y lo llevó deprisa al remolque de Savannah.

Camino a casa, recibí una llamada de Mac.

—Tengo noticias para ti —dijo—. Jacob, el electricista, le contó a Chantelle, de maquillaje, que le contó a Penny, de producción, que le contó a Deirdre, de la oficina, y ella, a Josh, de la tienda comedor, y Cat los oyó, y se lo contó a Becca y ella, a mí...

—¿Qué cosa?

—Que fue Roland quien derramó el café. Parece ser que Jacob estaba en la casa arreglando las luces para la toma y vio a Roland entrar al vestuario con esa chica rubia y delgadita, Sandra, la otra asistente de producción de la oficina, para besarse con ella. No se dieron cuenta de que él los veía y aparentemente se entusiasmaron un poco y volcaron el café sobre el vestido. Se pusieron de acuerdo para no decir nada porque Sandra tenía terror de perder el trabajo y Roland, como ya sabemos, es una rata.

—Y yo fui el chivo expiatorio.

—Exacto.

—Qué rastrero.

—El peor de todos —dijo Mac.

—Detesto que la gente piense que fui yo, pero no quiero delatarlo. No quiero ser un soplón...

—Eres demasiado bueno, Zoom. Pero no te preocupes, yo haré correr la voz. Y si no lo hago yo, lo hará Chantelle, y de un modo u otro Charlie se enterará. Ya sabes cómo son esas chicas de maquillaje. Si quieres que todo el set se entere de algo, basta con que se lo digas a una sola de ellas y puedes estar seguro de que, en veinticuatro horas, será de conocimiento público.

Menos mal, pensé, mientras me despedía de Mac. Ahora puedo irme a casa a dormir un poco sin preocuparme por todo. Qué felicidad. Y también tenía libre el día siguiente. Mi primer día desde que había empezado a trabajar. Iba a dormir, dormir, dormir, y luego vería a Lia por la tarde.

Apenas la había visto en los últimos días y estaba ansioso por ponerme al día con ella.

Al día siguiente, cuando desperté, el tiempo estaba horrible. No importa, pensé, dándome vuelta para dormir una hora más; aquí estoy bien cómodo y calentito. Y entonces sonó mi teléfono móvil.

Era una voz ya conocida, con acento tejano. Por un lado estaba encantado de que me llamara a casa. Pero por otro, pensé: basta, es mi día libre.

–Hola, Savannah –dije, preguntándome qué querría esta vez.

–Hola, Zoom. ¿Qué haces?

–Bueno, ya sabes, es mi día libre…

–El mío también.

–Pensé que hoy harían las escenas del jardín.

–¿Has mirado por la ventana? –preguntó–. Está lloviendo. De todos modos, Donny está cansado por el viaje y dice que no quiere que lo filmen hasta que recupere su mejor aspecto.

–Ah, claro –dije. Con el problema del vestido, había olvidado la gran novedad del día anterior: Donny Abreck había llegado para hacer sus escenas en el papel de Pip–. Qué lástima. Espero que esto no retrase mucho a Charlie.

–No, está haciendo todas las escenas de interiores que puede con la Sra. Haversham y Herbert Pocket, por eso tengo el día libre.

–Genial. Y ¿qué vas a hacer? –le pregunté.

–Quiero recorrer Cornwall.

–Sí, buena idea. Es un lugar fabuloso. Hay mucho para ver. ¿Tienes algún sitio en mente?

–Claro que sí. Quiero ver el lugar donde vivió Daphne du Maurier. Es la mujer que escribió la novela *Rebeca*. ¿Lo conoces?

–Sí. Ella vivió cerca de Fowey. Te gustará ese lugar.

–Esperaba que pudieras llevarme allá. Ser mi acompañante.

Cielos, pensé. Yo, su acompañante. Eso sí que sería importante. Pero no tenía ni medio de transporte, ni fondos. Probablemente una celebridad como ella no lleva dinero encima, como la Reina. Y seguramente esperará que la lleve a almorzar, tal vez a algún sitio elegante y fuera de mi alcance.

–Me encantaría, Savannah, pero mi fiel bicicleta no llegaría tan lejos. Además, tus cuidadores no te perderán de vista.

Oí un largo suspiro en el otro extremo de la línea.

–Qué pena. Esperaba que tuvieras un auto y pudiéramos escaparnos.

–Lo siento.

No le di explicaciones acerca de por qué no tenía auto. Ella nunca me había preguntado la edad y yo no quería decirle que tenía apenas dieciséis años –demasiado joven para tener licencia– pues no quería que pensara que era un niño.

Cuando colgué el teléfono, me sentía confundido. ¿Acaso debía arreglarlo? ¿Pedirle a tío Bill que nos llevara? ¿Sí? ¿No? ¿Debería arriesgarme y gastar todos mis ahorros? No lo sabía. Pasar un tiempo fuera del set con Savannah, a solas con ella, habría sido genial. Pero ¿por qué quería ella pasar tiempo conmigo? Yo no era nadie importante. Tal vez estaba aburrida y quería divertirse jugando conmigo. Fuera como fuese, no sabía cómo manejarlo. Por supuesto que me sentía halagado y ansioso por contárselo a Mac. Pero él se lo diría a Becca, que se lo diría a Cat, y ella, a Lia. Además, había tomado en serio lo que había dicho Roland: ella es la estrella, no lo olvides. Yo no lo había olvidado. Y no lo olvidaría. Menos mal, escapé por poco, pensé; llamé a Lia y le dije que estaría en su casa en una hora.

Justo cuando salía hacia la casa de Lia, vi una limusina con vidrios polarizados que se acercaba por las calles del pueblo. Podría ser Donny dando una vuelta, pensé, mientras sacaba mi bicicleta. Luego el auto dobló en nuestra calle y se acercó a nuestra casa, donde aminoró la

velocidad y se detuvo a pocos centímetros de mí. La ventanilla del lado
del conductor se bajó y se asomó un chofer, con gorra y todo.

–¿Es usted el Sr. Zoom? –preguntó.

Asentí y traté de ver quién estaba atrás, pero no vi a nadie.

–Suba –dijo.

8
Soy famosa, sácame de aquí

No podía creerlo. Cinco minutos más tarde, estaba en la parte trasera de una limusina con una de las estrellas adolescentes más famosas del mundo. ¡Sí! Yo. Zoom. Paseando con Savannah como el mejor. Lástima que las ventanillas eran de vidrio oscuro; nadie podía mirar hacia adentro y reconocerme. ¡Ja! Eso sí que habría alborotado al pueblo. Quería bajar una ventanilla, asomar la cabeza y gritar: «¡Oigan, miren dónde estoy! ¡Miren con quién estoy!». Una vez que el chofer me dijo que subiera, Savannah se inclinó hacia adelante en el asiento trasero, sonrió y dijo: «Soy famosa, sácame de aquí».

¿Cómo podía resistirme? Llamaré a Lia apenas pueda, pensé. Seguro que entenderá. Sé que podría haberme negado, haber dicho a Savannah que tenía otro compromiso. Pero no: subí sin más, sin hacer ninguna pregunta. Me remordió un poco la conciencia por dejar de lado a Lia, pero no duró mucho. Esta clase de cosas no pasan muy a menudo; al menos, no a mí.

Mientras viajábamos hacia el oeste, adentrándonos más en Cornwall, hice lo que pude para informar a Savannah sobre los lugares de interés que había por el camino. Le pedí al chofer que fuera por Bodmin Moor para que pudiéramos detenernos a tomar un café en Jamaica Inn.

–Jamaica Inn está en lo alto de este páramo desde hace más de cuatro siglos –expliqué, en mi mejor tono de guía turístico, repitiendo lo que todo chico de Cornwall aprende en la escuela primaria–. Es la posada legendaria donde se alojó Daphne du Maurier en 1930. La inspiró a escribir su novela del mismo nombre, sobre piratas y contrabando.

–Vaya, esto es bellísimo –dijo Savannah, quitándose los anteojos de sol y contemplando el paisaje de los páramos que se extendían en todas las direcciones, hasta donde se podía ver–. Me alegro de haberte traído, Zoom. Sin ti, nunca habríamos sabido de este lugar.

No le dije que la posada aparece en todas las guías de turismo de la zona, de modo que sólo le habría bastado con ojear una. Si quería llenarme de elogios, yo no iba a impedírselo.

Después del café en la posada, nos dirigimos al pueblo costero de Fowey, donde encontramos el Centro Literario Daphne du Maurier. Mientras Savannah miraba las fotos en exposición, me escabullí afuera y llamé a casa de Lia. Claro, se dio la Ley de Murphy: estaba ocupado. La llamé a su teléfono móvil. Atendió su mamá.

–Hola, Zoom. Lia fue a buscarte. Debe haberse olvidado el teléfono, pues está aquí, en casa. El caso es que pensó que te habrían llamado a trabajar...

–Sí, algo así. ¿Adónde fue a buscarme?

–Al set de filmación, creo. ¿Quieres que le diga que llamaste?

–Sí, gracias, la llamaré más tarde.

Eché un vistazo por la ventana para ver a Savannah. Estaba comprando tarjetas postales en la tienda de regalos, de modo que hice una llamada rápida a la oficina, con la esperanza de que no me atendiera Roland.

–¿Sí? –respondió una voz en tono aburrido.

–Ah, hola, Roland, habla Zoom.

–¿Y?

–¿Podrías...? Eh... ¿Conoces a esa extra llamada Lia? La rubia...

–Sí, delgada. Claro que la he visto, vamos, ¿quién no habría reparado en ella? Es la hija de Zac Axford.

No sabía si decirle que era mi novia o no. Probablemente fuera mejor no hacerlo ya que, conociendo a Roland, le haría la vida imposible sólo porque sale conmigo.

–¿Podrías darle un mensaje?

–Creo que está fuera de tu alcance, amigo –dijo Roland.

–Sí, tal vez, pero ¿podrías darle un mensaje de todos modos? Quedé en verla esta mañana. Por favor, dile que surgió algo...

En ese momento, Roland lanzó una carcajada insidiosa.

–Sí, seguro. Y te lo creerá.

Entonces decidí que era una tontería dejarle un mensaje con Roland. No se podía confiar en él y lo más probable era que no se lo diera, sólo para fastidiarme.

–Olvídalo, Roland –dije–. Yo me las arreglo.

Luego llamé a Mac a su móvil. Estaba apagado, de modo que empecé a dejar un mensaje. «Hola, Mac...» Entonces vi que Savannah salía del centro. No quería que Mac oyera su voz, descubriera que estaba con ella y luego Lia se enterara antes de que yo pudiera hablarle. Me di vuelta y dije deprisa:

–Es muy importante. Por favor dile que lamento lo de esta tarde y que la llamaré luego. Si no la ves, por favor pídele a Becca o a Cat que le pasen el mensaje; seguramente pasará a verlas. Gracias, amigo.

Ahora sólo me queda rezar para que Mac escuche el mensaje, pensé, mientras cortaba la llamada.

–¿Con quién hablas? –me preguntó Savannah.

–Con nadie –respondí–. En realidad, estaba... –Decidí hablar claro y decirle que tenía novia. Al salir de Jamaica Inn, Savannah se había puesto a coquetear conmigo y, aunque por un lado me sentía halagado, por otro estaba aterrado. Ella era una megaestrella y, si avanzaba, yo no sabría qué hacer. Estábamos pasando un día como grandes amigos, pero yo no había olvidado que ella era una de las estrellas más grandes del mundo y, si bien me esforzaba por mantener la calma, por dentro me sentía intimidado–. Estaba... tratando de comunicarme con mi novia, Lia...

–Ah, ella. Es la rubia de pelo largo, ¿no? Alguien me dijo que es la hija de Zac Axford.

Asentí.

–Así es.

–Mi mamá tenía todos sus CDs. Así que es tu novia, ¿eh? Sí, la he visto –dijo–. Es muy bonita. Claro que eso no basta para ser una estrella. Para eso, hay que tener el factor X.

–No creo que a Lia le preocupe ser una estrella –respondí, sonriendo–. No cuando la mayor parte de su familia está tan expuesta de uno u otro modo. Ya sabes que su padre es estrella de rock, su hermana es modelo y su mamá es ex modelo. Lia es diferente. Tiene los pies muy sobre la tierra; es una de las cosas que me gustan de ella. Creo que podría terminar dedicándose a algo muy ajeno al mundo del espectáculo, como la medicina o la veterinaria.

–¿En serio? –preguntó Savannah, haciendo una mueca–. ¿Veterinaria? Hum, no me atrae la idea de pasarme la vida metiendo la mano en el trasero de las vacas.

Rió, pero al mismo tiempo parecía un poco molesta. Imagínate, pensé: Savannah, celosa porque tengo novia.

Las nubes de lluvia habían desaparecido y ahora el día primaveral era perfecto. Nos divertimos mucho recorriendo el pueblo. Por donde íbamos, la gente se daba vuelta para mirarla, quizá porque la reconocían o porque parecía venir de otro mundo, muy lejos de la campiña de Cornwall, no lo sé.

Era deslumbrante, al estilo de Kylie Minogue, y reflejaba seguridad y carisma. Llevaba el pelo castaño rojizo recogido en la coronilla y un lápiz labial rojo brillante, un top negro diminuto –pero realmente diminuto: apenas le cubría los pechos– de un solo tirante, una minifalda de estilo escocés y botas de cuero con cordones. Con su vientre perfectamente trabajado al descubierto, con un *piercing* en el ombligo y sus increíbles piernas largas, creo que se habría distinguido entre cualquier multitud, especialmente por aquí, donde la mayoría de la gente anda en ropa deportiva y chaqueta de jean.

Hombres de todas las edades llegaban casi a chocar contra los postes de luz por darse vuelta a mirarla pasar. Me sentí en el séptimo cielo cuando, en un momento, fuimos a ver los veleros y los barcos que pasaban por el estuario, y ella me tomó de la mano como si fuera su novio.

–Simulemos que estamos aquí de vacaciones y somos turistas –me propuso más tarde, mientras mirábamos los escaparates de las casas de antigüedades que abundaban en las calles empedradas que se alejaban del muelle.

–Seguro –respondí, echando un vistazo al guardaespaldas–. Turistas que van con un tipo de aspecto rudo vestido de negro de pies a cabeza. Parece el villano de una película de James Bond.

–No le hagas caso –repuso–. Mi contrato dice que Mitch debe ir adonde yo vaya. Detrás de esos anteojos oscuros, es muy dulce.

Caminamos por todo el pueblo, visitamos el Museo Fowey y la iglesia de St Fimbarrus, donde firmamos el libro de visitas, recorrimos algunos negocios más y luego nos hartamos probando las comidas lugareñas: pastelitos, helado y jugo de manzana de una huerta local. No tuve que preocuparme por el dinero, pues apenas Savannah veía algo que quería, hacía una seña a Mitch y él ponía el efectivo.

Más tarde, caminamos por la costa y Savannah tomó fotos de lo que queda del Castillo de Santa Catalina. Después de eso, regresamos al pueblo e hicimos una excursión en barco por el estuario. Era fabuloso mirar el pueblo desde el agua, y al cabo de unos diez minutos, pasamos por la casa donde había vivido Daphne du Maurier.

–Se llama Ferryside –dije, mientras el barco pasaba por una hermosa casa antigua que estaba sobre la costa–. Creo que su hijo vive allí ahora.

Savannah quedó encantada, especialmente cuando le hablé de la otra casa, más majestuosa, donde vivió Daphne los últimos años de su vida.

–Se llama Menabilly y es la que describió en su libro *Rebeca*, sólo que le cambió el nombre por el de Manderley para la novela.

–*«Anoche soñé que regresaba a Manderley»* –dijo Savannah, citando la primera frase del libro–. Es mi película preferida, más que ninguna otra. Es taaaaan romántica. También era la preferida de mi abuela. Después de ver la película con ella, leí todos los libros de Daphne du Maurier, y por eso, cuando supe que iba a filmar aquí, quise venir a ver dónde vivió ella. Pero nunca imaginé que Manderley fuese un lugar real. Ni que aún estuviese en pie. ¿Podemos ir a verla?

Meneé la cabeza.

–Es propiedad privada y no se puede entrar. No se ve mucho desde el camino.

–No importa –insistió–. Vayamos allá cuando bajemos del barco.

Cuando terminó la excursión, nos acercamos a Menabilly tanto como pudimos. Pero, como le había anticipado, la casa no se veía desde el camino. Pero eso no apagó el entusiasmo de Savannah. Pidió al chofer que se detuviera en el camino y tomó fotos de los árboles que había frente a la propiedad.

–Hasta una foto de los árboles cerca de Manderley, o Menabilly, o como quieras llamarla, será genial –dijo–. Recuerda la escena de la película donde se ve la casa por primera vez, a la distancia, entre la niebla... Fabuloso.

Lamenté no haber llevado una cámara conmigo. Yo, que jamás salgo sin ella. La única vez que estoy con una superestrella, ¿dónde está la cámara? En el armario de mi casa.

A medida que transcurría el día, me pareció llegar a entrever a la chica de verdad que había detrás de la imagen pública. Por debajo de su fachada de estrella, Savannah era una muchacha común y corriente y, supongo, un poco solitaria por estar tanto tiempo fuera de casa. Apenas tiene diecisiete años y echa de menos su casa y a su familia. Me trataba de igual a igual y sentí que había hecho una nueva amiga. Me contó sobre su vida en Nueva York y sobre cómo había empezado a actuar. Y yo le conté sobre la vida en Cornwall y sobre mi ambición de ser director de cine. Me di cuenta de que su interés era genuino. No me escuchaba sólo por cortesía. Alguien como ella no necesita hacer eso.

Camino a casa, se acomodó contra mí y se durmió con la cabeza apoyada en mi hombro. Por un momento, me permití imaginar lo que podría haber ocurrido si yo no hubiese estado saliendo con Lia y hubiese respondido al coqueteo de Savannah con un poco más de entusiasmo. La sola idea me hizo estremecer. Si mis amigos pudieran verme ahora, pensé, mientras tomábamos la carretera que nos llevaba de vuelta a la península de Rame y a casa. El chofer me dejó en casa y saludé con la mano mientras el auto se alejaba.

Apenas entré, llamé a Lia. Eran ya las seis y media y esta vez ella estaba en su casa.

–Hola –dijo.

Asombroso, pensé. Cuántas cosas pueden decir las chicas con una sola palabra. Por el tono de su «hola», me di cuenta de que estaba molesta.

–Lamento lo de hoy, Lia. ¿Mac te dio mi mensaje?

–No, ¿qué mensaje? ¿Dónde estuviste?

–Llamé a Mac a su teléfono móvil y le pedí que te dijera que te llamaría más tarde. Maldición, seguramente no escuchó el mensaje. Llamé a la oficina para ver si te encontraba allí, pero me atendió Roland y…

–¿Roland? Está aquí. Espera, le preguntaré…

–No, no lo hagas. No te dejé un mensaje con Roland.

–Pero acabas de decir que lo llamaste…

Aquello no estaba saliendo bien.

–Sí, lo llamé. Pero no le dejé mensaje. Y ¿qué hace él en tu casa?

–Nos trajo de vuelta. ¿De verdad llamaste? ¿No me estás mintiendo?

–No, digo, sí. Sí, de verdad llamé. Y no, no te estoy mintiendo. Llamé esta mañana para decirte que no podía encontrarme contigo, pero tu línea estaba ocupada. Entonces dejé un mensaje en el contestador de Mac. Es cierto. Pregúntale a Mac.

–Pero ¿por qué no dejaste un mensaje cuando hablaste con Roland?

–Pensé que tal vez no te lo daría. Ya sabes cómo es conmigo.

–¿Por qué? Tú nunca le hiciste nada.

–Díselo a él –repuse–. Pero podría hacérmela peor si supiera que estamos saliendo. Le gustas, lo sé.

Esperé que dijera que a ella no le gustaba él, pero no dijo nada.

–Pero dime, ¿a quién llevó de vuelta a tu casa? ¿A Cat y Becca? –le pregunté.

–No, están Charlie, Donny y Roland.

–¿Donny Abreck?

–Sí, llegó ayer. Pero ¿dónde estuviste tú?

–En Fowey.

–¿Por qué?

–Esteee... Savannah quiso ir.

–Ah... Pensé que podrías estar con ella.

–Sí, estuvo bueno. Es agradable. También fuimos a Jamaica Inn.

–Dijiste que me llevarías allá.

–Lo haré pronto, te lo prometo.

Hubo un largo silencio en la línea.

–¿Sigues ahí, Lia?

–Sí.

Otro largo silencio.

–Entonces, ¿qué pasa? ¿Estás enojada conmigo? De veras traté de llamarte, y pensé que entenderías... Ah, y hablé con tu mamá. Pregúntale. Ella te dirá que llamé. A tu móvil. Lo olvidaste esta mañana.

Sí. ¿Ves? Yo no sabría eso si no estuviera diciendo la verdad, ¿no crees? Pregúntale a tu mamá.

–Se fue a la peluquería.

–Pregúntale cuando regrese.

Lia quedó callada un momento.

–Todo el mundo piensa que tú y Savannah se gustan –dijo, por fin.

–Para nada –respondí–. Vamos, Lia...

–Mira, tengo que irme –dijo, y oí voces de fondo. Parecía que hubiera entrado una multitud donde ella estaba. Había muchas risas y hablaban muy alto–. Llevaremos a Donny a cenar. Aparentemente no le gusta el hotel donde está alojado. Charlie está tratando de convencer a mamá de que lo deje alojarse aquí…

–¿Llevaremos? ¿Quiénes van a cenar con Donny?

–Yo, mamá y papá, Charlie y Roland.

Ahora era yo quien estaba celoso. Donny Abreck alojado en la misma casa que Lia. Saliendo a cenar con Lia. Era seguro que iba a gustarle. Todas las chicas tenían su foto en la pared. Sentí un dolor sordo en la boca del estómago. Mi mayor temor respecto de Lia era que quisiera a alguien más interesante que yo, alguien que hubiese visto más mundo que yo. Alguien exactamente como Donny Abreck. Ahora que lo había conocido, seguramente me dejaría para salir con él. Tal vez ya lo estaba planeando, pensé. Normalmente me habría invitado a ir a cenar con ellos; le gusta incluirme a mí y a sus amigos en todo. Es muy generosa en ese sentido. Pero esta vez, aparentemente, no.

De pronto, mi día genial ya no lo parecía tanto.

9
Besos famosos

Mac y yo tuvimos una buena charla el día siguiente, cuando pasé a buscarlo para ir a trabajar.

–Sí –dijo, cuando le conté mi salida con Savannah–, a veces lo mejor de tener una historia con alguien fantástico es poder contarlo al día siguiente.

–No tuve ninguna historia con ella –respondí, mientras Mac cerraba la puerta de su casa.

–Todavía no, querrás decir.

Traté de darle un puñetazo pero él fue más rápido que yo.

–Era una broma –dijo, esquivándome–. Pero no importa, haces bien. Algo para recordar.

–Supongo –asentí–. Pero todo fue inocente. Aunque Lia no me cree.

–Ah, discúlpame por no pasarle el mensaje. Se lo habría dado si lo hubiese escuchado a tiempo.

–No es tu culpa –dije, apesadumbrado–. Pero quizá podrías decirle que en verdad te dejé un mensaje.

Una parte de mí sentía que la reacción de Lia había sido injusta. Yo había pasado el día con Savannah, sí, pero no le había sido infiel con ella y sí había intentado comunicarme.

–Lo haré –respondió. Supongo que luego advirtió mi expresión sombría–. Oye, no te deprimas por esto. Chicas, ¿eh? Quién sabe qué cosas raras les pasan por la cabeza a veces. Ya te entenderá.

Me encogí de hombros.

–Quizás. Aunque a veces no se puede ganar.

–No dejes que te afecte. Arriba ese ánimo, amigo. ¿Conoces el chiste del tipo que queda varado en una isla desierta?

Meneé la cabeza.

–Un náufrago llamado Peter llevaba años viviendo solo en una isla desierta –comenzó a contar–, cuando divisó otro naufragio en el horizonte. Hubo un solo sobreviviente, una mujer, y venía hacia él. No podía creerlo cuando vio quién se acercaba nadando: Britney Spears. Había tenido su foto en la pared antes de naufragar. Apenas lo vio, ella se enamoró perdidamente de él.

«Pasaron unos meses idílicos haciendo el amor y caminando desnudos por la playa. Pero una mañana, Peter se volvió retraído y no parecía feliz. Britney le preguntó qué le pasaba. "Haré cualquier cosa para que te sientas mejor", le dijo. "Sé que esto te parecerá raro, pero ¿te importaría ponerte uno de mis trajes viejos?", le preguntó él. "Claro que no, querido, lo que sea para hacerte feliz", respondió ella, y fue a ponerse el traje. Pero eso no fue suficiente. "¿Te importaría cortarte el pelo?", preguntó él. "Lo que tú quieras", respondió ella, y fue a cortarse el pelo. Cuando volvió, él dijo: "Casi. Ahora, ¿te importaría pintarte un bigote?". A ella le pareció un poco extraño, pero accedió diciendo: "Cualquier cosa que te haga feliz, querido". Cuando volvió, él le dijo: "Perfecto, sólo una cosa más. ¿Te importa si te llamo Juan?" "No", respondió ella, desconcertada, "adelante". Entonces, con una sonrisa de oreja a oreja y casi tan feliz como antes, le pidió que se recostara contra una roca en la playa. "Juan", le dijo. "¿Quieres una cerveza?" "Bueno", respondió Britney. "Juan, ¿viste el partido el sábado?" "No, no lo vi", respondió Britney. "Juan", dijo él por último, "ni te imaginas con quién estoy durmiendo desde hace seis meses..."»

Reí.

–Claro, sí –dije–. Lo entiendo: a los hombres nos gusta jactarnos. Pero entre Savannah y yo no pasará nada de lo que pueda jactarme.

Nos tomamos de la mano, nada más. Como amigos. Yo estoy saliendo con Lia. No quiero arruinar eso.

–Bec dice que anoche Lia salió con Donny Abreck.

–Sí, pero sus padres fueron con ellos. ¿Becca te dijo algo más?

Mac meneó la cabeza.

–No, sólo me regañó.

–¿Por qué? ¿Qué hiciste?

–Cree que estuve coqueteando con Julie y Chantelle, de maquillaje.

–Y tiene razón –repuse–. Te he visto.

–Tal vez ellas estuvieron coqueteando conmigo.

–No vi que pusieras reparos, amigo.

Mac meneó la cabeza.

–Tengo que admitir que es halagador. Y me hizo pensar. Es decir, me gusta Becca, en serio, pero no sé si quiero... ya sabes, estar tan atado a una relación seria a mi edad. Es como... Digamos que Becca es una manzana. Fantástico: me gustan las manzanas. Pero a veces prefiero una naranja, o un melón u otra fruta. Entonces, ¿por qué atarme a una sola fruta cuando puedo probar toda la cesta? Lo he pasado muy bien con Becca. Aún es estupendo, es sólo que... me gustaría tener la libertad de flirtear un poco.

–Pues díselo.

–Uf. No es tan fácil. No quiero herir sus sentimientos.

–Lo sé –dije–. Pero nunca se sabe: tal vez ella sienta lo mismo. Recuerdo cuando yo salía con Cat y sentía que nuestra relación ya había cumplido su ciclo. Ninguno de los dos dijo nada durante mucho tiempo y, cuando al fin nos sinceramos, descubrimos que los dos sentíamos lo mismo pero teníamos miedo de decirlo.

–Supongo que es una posibilidad –respondió Mac, con expresión infeliz–. Sí, eso haré. Hablaré con ella. Y tú, ¿vas a hablar con Lia?

–¿De qué?

–Pues de ustedes, tonto.

–No quiero terminar con ella, de modo que no hay nada que decir por el momento. Quiero salir con ella. Punto.

Mientras pedaleábamos hacia el trabajo, me pregunté si realmente aquello terminaba allí. Lia y yo habíamos prometido decirnos siempre la verdad y yo no le había revelado que Savannah había coqueteado conmigo. Si no significaba nada, debería habérselo contado y nos habríamos reído de ello. Lia podía confiar en mí, ¿no? Yo no soy como Mac, que quiere probar todas las frutas de la cesta. ¿O sí?

Apenas llegamos, me reporté en la oficina de producción para ver mi lista de tareas del día.

Roland ni siquiera levantó la vista cuando llamé a la puerta del remolque.

–Savannah quiere verte enseguida –dijo.

–¿Tiene encargos para mí?

Roland se encogió de hombros y empezó a marcar un número en su teléfono.

–No sé, no me lo dijo. Mejor ve para allá.

Me moría por preguntarle sobre su salida con Lia y los demás, pero no quería darle la menor indicación de que estaba preocupado. Había pensado en llamar a Lia y preguntarle simplemente cómo les había ido, pero podría sentir que estaba controlándola o que estaba desesperado después de nuestra última conversación. Calma, me dije. Conserva la calma.

Cinco minutos más tarde, había perdido toda la calma. Mi corazón latía con fuerza y tenía la clara sensación de que mi cara estaba tan roja como el cabello de Savannah. Y no es que normalmente me ruborice; estaba con ella en su remolque y ella no quería encargarme nada. No. Quería ensayar una escena de la película. Conmigo haciendo la parte del otro actor. Y no era cualquier escena la que quería ensayar. Era una escena de besos.

Dios mío.

–Pero ¿por qué no esperas y lo haces con Donny? –le pregunté.

–¿Con él? ¡Ja! Ya trabajé con él antes y, si esperas que aparezca, esperarás todo el día. No, es una escena crucial. Quiero que salga bien.

–Entonces... ¿Por qué no se lo pides a otro de los actores? –balbuceé–. Digo...

–Probé con Bill y con Jake pero los dos tienen una especie de infección en la garganta. No puedo correr el riesgo de contagiarme. ¿Por qué? ¿Tienes algún problema, Zoom? –Levantó una ceja y me miró con expresión divertida.

–Eh... no, claro que no, eh... sólo que... ¿Y Roland? Es mayor que yo.

Savannah puso los ojos en blanco con exasperación.

–Estoy dispuesta a sufrir un poco por mi arte, pero, cariño, no pienso ir tan lejos. Vamos. Algunos pagarían por tener una oportunidad como ésta. ¿Cuál es el problema?

–No hay problema. En serio.

–¿Te preocupa tu novia, Mia?

–Lia.

–Como sea. Vamos, Zoom, no tengas ideas raras. Es sólo una actuación. No le estarás siendo infiel.

Hmm, no creo que Lia esté de acuerdo, pensé. Pero ¿cómo puedo negarme? Voy a quedar como un principiante total, y yo quiero trabajar en cine. Si estuviera en mi propio set, haría lo que fuera necesario. Además, la idea era tentadora, y mucho. Era una manera de besar a Savannah sin ser realmente desleal con Lia. Sería una actuación. Decidí ser profesional y tomar distancia de mis sentimientos. Era sólo un trabajo. Haría la escena.

Cuando acepté, me dio una copia del guión y leí rápidamente la escena que quería ensayar. Era la parte en la que Pip se encuentra con Estella en Londres cuando ya son mayores y ella lo provoca y juega con sus sentimientos. *Grandes esperanzas* era uno de mis libros preferidos cuando era más chico y lo había leído varias veces, de modo que sabía que el guionista había usado algunas licencias poéticas. No recordaba que en el libro hubiera ninguna escena de besos a esa altura de la historia, pero cada escritor o director interpreta las cosas a su manera. Desde el punto de vista de un director, yo podía entender muy bien por qué habían agregado el beso. Los admiradores de Savannah y de Donny lo esperarían. Y a los productores les encantaría, pues podrían usar esa escena para promocionar la película.

–¿Listo? –preguntó Savannah.

Tragué saliva, asentí y leí mis líneas en voz alta. Al cabo de un rato, me metí más en la escena y empecé a disfrutarlo. Luego llegó la parte del guión que decía:

Estella se inclina hacia adelante, aparta el cabello de Pip de su cara y lo besa suavemente en los labios. Ella se aleja, pero luego Pip avanza y la besa más profundamente, casi con voracidad.

Tragué saliva. Bien, pensé, prepárate. Dios, ojalá hubiera sabido que tendría que hacer esto; habría comido pastillas de menta una o dos horas antes. Una vez había leído en una revista que una actriz detestaba besar a su coprotagonista porque siempre sabía a ajo o cebolla. ¿Qué había desayunado yo?

Dios mío, Savannah, digo Estella, se estaba acercando.

Mi corazón se aceleró. Era como tener una voz muy loca en el fondo de la mente, diciéndome que tenía que representar el papel, pues así no estaría engañando a Lia porque no sería yo quien besara a Savannah, sino que Pip estaría besando a Estella, y él no es yo, yo no soy él y ella no es ella. Dios mío, los labios de Savannah sobre los míos. Un beso fugaz. Suave. El estómago me dio un vuelco. Agradable.

Ella se apartó y me miró, esperando. Era mi turno. Soy Pip; soy Pip. ¿Cuál es mi motivación? Estella me intimida, pensé, tratando de recordar la historia. No importa Estella: me intimida Savannah. Esto es real.

No, no es real. Es una actuación. Eché un vistazo al guión. Pip se acerca y la besa más profundamente. Bien. De acuerdo. Puedo hacer esto, pensé. Respiré hondo. Tragué saliva. Miré a Savannah. Sonreí como un idiota.

–No, no –dijo, con un gesto impaciente–. Ponte en el personaje. Pip no sonreiría. Es un momento intenso. Un momento con el que él sueña desde hace años. Él adoró a Estella durante toda su vida, la puso en un pedestal. Éste es el momento que ha estado esperando.

–Bien –respondí–. Entiendo.

Realmente puedo hacer esto, pensé. Lo que Savannah acababa de describir era exactamente lo que yo había sentido por Lia durante meses antes de que empezáramos a salir. Imaginaré que estoy reviviendo aquel primer beso con Lia.

Savannah se acercó y volvió a darme aquel beso fugaz, y luego se apartó.

Piensa en Lia, me dije. Imagina que es Lia y que es aquella primera vez que la besé. Me incliné hacia adelante, miré a Estella a los ojos, cerré los míos y la besé.

Y ella me besó. Pero no parecía el beso de Lia. No, claro que no, pensé. Es Estella. Y una Estella muy apasionada: no recuerdo que el guión mencionara un beso de lengua, pero sin duda allí estaba la de Estella; digo, la de Savannah; digo, la de Lia. Dios, ¿a quién estoy besando aquí? ¿Cuánto tiempo debe durar este beso? Y qué bueno está.

Me aparté y abrí los ojos. Al hacerlo, juro que vi un resplandor en la ventana. El flash de una cámara.

Savannah ahogó un grito.

–¿Quién era?

Corrí a la ventana y apenas alcancé a ver la silueta de un hombre que desaparecía detrás de uno de los remolques.

Abrí la puerta y traté de perseguirlo, pero era demasiado tarde: había desaparecido.

Savannah se acercó y se detuvo detrás de mí.

–Diablos –dijo–. Espero que no haya sido de la prensa. Últimamente me persiguen por todas partes. Siempre están buscando una nota. Son terriblemente pesados.

Peor será si Lia llega a ver esa foto, pensé, mientras Julie y Chantelle, de maquillaje, pasaban, nos miraban y reían entre sí. Chantelle se volvió y me guiñó un ojo.

10
De chicas y flores

El rumor sobre mi excursión a Fowey con Savannah había corrido por el set como una ola de espectadores en un partido de fútbol. Y, por supuesto, había llegado también a Cat, Becca... y a Lia, que había venido a visitar a las chicas mientras descansaban.

–Aquí viene el aprendiz de gigoló –bromeó Becca, cuando las encontré detrás de los remolques, disfrutando el buen tiempo que hacía–. Me enteré de que conseguiste un nuevo trabajo como acompañante.

Miré a las tres con atención y traté de adivinar lo que pasaba por sus cabezas. ¿Aprendiz de gigoló? ¿Becca me hablaba con desprecio? ¿Acaso ella y Cat habían hablado y se habían puesto del lado de Lia, dejándome el papel de villano? Decidí tomarlo a broma y le sonreí a Becca.

–Sí, fue un trabajo duro pero alguien tenía que hacerlo. Pasear en limusina, disfrutar el paisaje, pasar la tarde con una persona famosa. Sí, fue un trabajo muy duro.

Cat y Becca me sonrieron, pero Lia, no.

–Y ¿cómo es ella? –preguntó Cat.

–Simpática –respondí–. Dulce. Un poco solitaria.

–Todos piensan que le gustas –dijo Becca.

–Bueno, ¿quién podría culparla? –respondí, riendo–. No, creo que sólo quiere alguien con quien hablar.

–Eso no es lo que se dice por aquí –prosiguió Becca–. Hay quienes casi los imaginan casados.

Me encogí de hombros y dirigí mi respuesta a Lia.

—Sí, pero no se puede creer todo lo que se dice por ahí. Y tú debes saber eso porque tu papá hizo muchas giras y estuvo muy expuesto, Lia. Él me contó que la gente sacaba conclusiones de situaciones que eran absolutamente inocentes.

En ese momento, Fran, la mujer que estaba a cargo del comedor, hizo una seña a Cat y Becca para que volvieran a trabajar. Así, por fin, quedé a solas con Lia.

—¿Vas a decirme lo que está pasando de verdad? —me preguntó.

Le tomé la mano y la apreté con lo que esperaba que fuera un gesto tranquilizador. Lia hizo una mueca. Obviamente la había apretado demasiado.

—Nada —respondí—. En serio. Si hubiese pasado algo cuando fuimos a Fowey, no te habría dicho que había pasado el día con ella, ¿verdad? Podría haberte dicho que había ido a Plymouth solo. Seguramente, que te haya contado apenas volví, que había estado con Savannah significa que no pasó nada, ¿no?

Lia pensó un momento en lo que le había dicho.

—Entonces, ¿lo que dices es que, si algo pasara entre tú y Savannah, no me lo dirías?

—Sí. NO. —Empezaba a confundirme—. No, lo que dije fue que, al decirte que había pasado el día con ella, significa que estoy diciéndote lo que pasó. O sea, nada. Cuando alguien es infiel, no suele contarle a su pareja nada de lo que hizo.

No me estaba saliendo bien. Y no le había contado sobre la escena que acababa de ensayar con Savannah, ni sobre el beso, ni la foto. ¿Por qué no?, me pregunté. ¿Será porque sí está pasando algo? Pero no pasa nada. En realidad, no. Entonces quizá debería contárselo. Pero ¿se enojaría? A veces, es verdad eso de «ojos que no ven, corazón que no siente». Dios, no lo sé. Es todo tan confuso.

—¿Cómo sé si puedo confiar en ti, Zoom? —me preguntó, pero en el mismo momento, apareció Sandra detrás del remolque.

–Oye, Zoom, Roland te está buscando –dijo–. Dijo que te des prisa.

–De acuerdo. Bien. Hasta luego, Lia.

–Sí –respondió–. Hasta luego.

Aún no está convencida, pensé, mientras iba a ver a Roland. ¿Cómo voy a arreglar todo esto? Yo quiero seguir con ella. Quiero que siga siendo mi novia. No sirve tratar de explicárselo con palabras; de hecho, las explicaciones sólo parecen meterme más y más en problemas. ¿Cómo puedo demostrarle cuánto la quiero?

Cuando llegué a la oficina de producción, vi que Donny Abreck estaba allí con Roland y Sandra. Por si estaban hablando de algo privado, no entré directamente. En cambio, me quedé en los escalones, desde donde oí que Donny protestaba, muy enojado. Fue raro escucharlo. Estaba expresando lo mismo que yo siento por vivir aquí, en Cornwall.

–Este lugar está en el trasero del mundo. Es como... es como estar en el último rincón –se quejaba Donny–. No hay nada para hacer, no hay cine, no hay locales comerciales, no hay restaurantes...

–Sólo estarás aquí unos días –oí que le respondía Sandra–. Daremos prioridad a tus escenas y pronto podrás irte.

¿Qué le molesta?, pensé. Como decía Sandra, él no tiene que quedarse aquí para siempre. Yo, en cambio, había tenido que pasar toda mi vida aquí. Él estará con nosotros una semana, como máximo, y luego se irá. Sin duda, parte del trabajo de un actor consiste en ir adonde el papel lo exija.

Entonces empezó una larga enumeración de todos sus requisitos personales: que no puedo comer esto, que no quiero comer aquello, que necesito esto, que no quiero aquello. Me di cuenta de que habría que estar tras él mucho tiempo mientras estuviera en el set. Qué imbécil, pensé. ¿Quién cree que es? Por la manera en que seguía quejándose, lo apodé Primadonny.

Decidí que, cuando yo fuera director, daría muchos papeles a actores desconocidos. Actores que apreciaran el trabajo y no se quejaran de tener que ir a un lugar muy tranquilo por una o dos semanas. A veces, en las películas, vemos las mismas caras una y otra vez, cuando hay todo un ejército de buenos actores que esperan su oportunidad. Actores que no se comportarían como niños malcriados. Savannah no es así. No cuando se la conoce un poco mejor. Ella no se había quejado ni una sola vez del lugar. De hecho, como lo había demostrado el sábado en Fowey, lo tomaba como una oportunidad para conocer un mundo que es diferente de donde ella vive. Y todo aquello que había dicho Roland, de que ella no quería mezclarse con el equipo... Mentiras: ella se ha mostrado muy simpática con todo el mundo.

–Y el hotel donde estoy –seguía Donny–. Los pasillos crujen, las cañerías hacen ruido, mi cuarto huele a verduras hervidas y no hay una maldita ducha. ¿Cómo se baña la gente aquí?

–Los Axford han tenido la amabilidad de ofrecerte su casa –dijo Sandra–. ¿Quieres mudarte allá?

–Ni lo dudes. El sábado salí con ellos. Buena gente, los Axford. Que lleven mis cosas allá lo antes posible.

Salió y casi me llevó por delante.

–Epa –dije, haciéndome a un lado.

Ni siquiera me miró. Siguió caminando como si yo no estuviera allí. Cuando se fue, entré al remolque. Roland me entregó una lista. Le eché un vistazo. Las azucenas de siempre para Savannah. Y un montón de cosas para Donny.

–No dejes de traer el champú porque se le terminó –dijo Roland, señalando algo escrito al final de la lista, al tiempo que me entregaba un frasco vacío–. *Être*, se llama. Lleva el frasco así no te equivocas. Es un champú francés que usa todo el mundo en Hollywood. Si no lo consigues, encárgalo. Ah, y trae uno para mí también.

Fui a buscar mi bicicleta. Me alegré de que papá me hubiese instalado una caja atrás para transportar cosas, pues tendría mucho que traer.

Dejé la bicicleta en el pub de Arthur y tomé el trasbordador hasta Plymouth, y de allí, un autobús al centro. Apenas llegué, probé en un par de las farmacias grandes, pero no encontré el champú de Donny; tenían mil variedades, menos ésa. Después de recorrer una docena de peluquerías y farmacias más pequeñas, no me quedaban lugares donde seguir buscando. Tal vez no lo venden más, pensé, al salir del último lugar; al menos, no por aquí. Pero no puedo volver con las manos vacías. Quizá se conforme con otra cosa. Volví al primer lugar donde había entrado y revisé las estanterías. Estaban llenas de todo tipo de productos para todo tipo de cabello. Elegí uno muy exclusivo de un peinador muy famoso y esperé que sirviera. Compré un frasco de más para Roland.

Después de eso, compré el resto de las cosas en la lista de Donny, y luego me dirigí al mercado de flores a buscar las azucenas para Savannah. El mercado estaba en un edificio enorme y antiguo de la costa, en la parte vieja de la ciudad. Al entrar, el aire olía dulce y fresco. El lugar era un torbellino colorido: rojos, púrpuras, rosados, amarillos, naranjas. Había flores de todos los colores, tamaños y formas.

Mientras buscaba las azucenas, recordé lo que había dicho Mac acerca de que las chicas eran como frutas diferentes. Yo las compararía con flores, pensé, observando todas las variedades en exposición. En primer lugar, hay más clases de flores que de frutas y tienen asociaciones más sutiles para describir los cientos de tipos de chicas que hay. Es decir, con las frutas, uno está limitado. Y ¿a quién le gustaría que la compararan con una pera o una manzana? No es muy poético. Imagina una noche romántica, miras a una chica a los ojos y le dices: «Oye, me recuerdas a un melón». Lo más probable es que te diera una bofetada. Pero si le dijeras: «Me recuerdas a una rosa en flor» o algo así de cursi, probablemente le gustaría. Sí, pensé, debo acordarme de decirle a Mac que es mejor comparar a las chicas con flores que con frutas.

Nunca lo había pensado, pero tiene que haber una flor perfecta para comparar a cien chicas distintas. ¿Cuál sería la de Lia? Eché un vistazo a las flores que estaban en exposición. No, no aquellas púrpuras; tampoco estas rosadas, y decididamente menos los narcisos. Algo elegante, con gracia, como ella. ¿Tal vez una rosa blanca? No, son bellas, pero demasiado comunes. Entonces vi la flor perfecta: una orquídea, blanca con el centro de un rosa pálido. Era exquisita. Hermosa, como ella. Sí, eso es, decidí. Lia sería una orquídea.

Y ¿cuál sería Savannah?, me pregunté, dirigiéndome a la sección de las azucenas. Pronto la descubrí. A Savannah podrán gustarle sus azucenas, pensé, pero no es lo que sería. No, ella sería... Me incliné para leer la etiqueta. Lilium, decía. Eso es. Sería un lilium. Naranja brillante. Se destaca. No puede pasar inadvertida.

Miré el reloj y vi que ya era hora de volver al trasbordador. Me dirigí de prisa hacia las azucenas.

–Te has portado mal, ¿eh? –dijo el vendedor, con expresión conocedora, cuando fui a pagarle las tres docenas que me habían encargado.

–¿Por qué lo dice? –le pregunté.

El hombre señaló las flores.

–¡Tres docenas! Para comprar un ramo tan grande, tienes que haber hecho algo.

Reí y le entregué el dinero.

–Yo no, amigo. Soy inocente.

–Sí, claro –dijo el florista, con un guiño–. ¿Acaso no lo somos todos?

Lo miré con una sonrisa descarada y tomé el ramo. Supongo que el hombre verá a muchos sujetos aquí que compran flores para reconciliarse con sus esposas o novias, pensé. ¿Dará resultado?

Al salir del mercado, mientras me dirigía a la parada del autobús, me crucé con dos chicas que iban en dirección opuesta.

–¿Son para mí? –me preguntó una de ellas, con una amplia sonrisa.

–La próxima vez –le respondí. Me sentía bien. Había hecho todo lo que me habían encargado. Estaba de ánimo para las bromas inocentes.

Una recepcionista me vio por la vidriera de una peluquería y llamó a su compañera. Empezaron a hacerme señas; señalaron las flores, luego se llevaron las manos al corazón y rieron. Yo también reí. Hmm, pensé, antes había comprado flores para mamá y para los cumpleaños de la familia, pero nunca había visto semejante reacción. Era obvio que, cuanto más grande era el ramo, mejor. ¡Eso es!, pensé. Así le demostraré a Lia que la quiero. Rápidamente, sumé lo que había ganado desde que había empezado a trabajar. Para Lia, tendría que ser un ramo impresionante, al menos tanto como el de Savannah. No serviría un ramo barato de flores medio mustias de la florería de la esquina. No, le compraría un ramo enorme para decirle lo que no podía expresar con palabras. Valdría la pena y podría reponer el dinero más tarde. Sí, flores. Serán mucho mejor que mil explicaciones, disculpas o excusas acerca del ensayo y de por qué había besado a Savannah.

Di media vuelta y regresé al mercado, donde compré una docena de orquídeas. Casi me desmayé cuando supe cuánto costaban.

–¿Seguro que no hiciste nada? –me preguntó el florista cuando le pagué el segundo ramo.

Meneé la cabeza.

–No, pero ya sabe cómo son las chicas: no se las puede convencer con palabras, así que es mejor comprarles flores.

El hombre me guiñó un ojo.

–Eres muy sabio –dijo–. Muy sabio.

11
Operación champú

Donny quedó conforme con su champú cuando se lo llevé al regresar. Aunque sí tuve que explicarle que no era cualquier champú, sino que lo había creado un peinador famoso. Roland no quedó conforme: quería *Être* y sólo *Être*. Quería el producto que usaban las estrellas y ningún otro.

–¿Esto es *Être* o es uno de esos productos baratos que usa cualquier peluquero de barrio? –preguntó, cuando le ofrecí el frasco del mismo champú que había comprado para Donny.

Por Dios, es sólo champú, pensé. Pero Roland no quiso saber nada con él y me mandó otra vez a buscarlo. No hay problema, pensé. Si significaba tanto para él, lo encontraría, aunque tuviera que investigar en Internet y él tuviera que esperar semanas. ¡Le conseguiría un frasco enorme! Me sentía en el séptimo cielo y nada, ni siquiera Roland, podría arruinarme el ánimo. Me sentía así desde que había visto a Lia y le había dado las flores.

En el trasbordador, mientras regresaba de Plymouth, llamé a Lia con mi teléfono móvil y le pregunté si podía encontrarse conmigo para un almuerzo tardío. Ella accedió y quedó absolutamente fascinada cuando le di las orquídeas y le conté mi nueva teoría acerca de las chicas y las flores y de que pensaba que ella era como una orquídea exótica. Debo recordar esto en el futuro, pensé, pues me dio un gran beso. Las flores pueden hacernos sumar muchos puntos.

Pero no fue sólo por las flores. Mac le había contado que yo había tratado de comunicarme con ella desde Fowey y le había dejado un mensaje a él, y su mamá también le había dicho que había llamado. Creo que se sentía culpable por haberme tratado tan fríamente.

Después de unos buenos besos de reconciliación, tuvimos un almuerzo estupendo, sentados frente al pub, comiendo patatas fritas, charlando y riendo y comentando sobre todos en el set. Otra vez estábamos juntos y nada ni nadie podía separarnos. Ni Roland (Lia se horrorizó cuando admití que me preocupaba que él le gustara), ni Donny («No es mi tipo», dijo. «Demasiado engreído»). Realmente quería contarle acerca del ensayo, del beso con Savannah y del fotógrafo misterioso, pero me acobardé cuando ella se disculpó por quinta vez por no haber confiado más en mí. Las cosas apenas acababan de normalizarse entre nosotros y no quería arriesgarme a arruinar un momento perfecto.

Voy a decírselo, voy a decírselo, me dije, mientras regresaba al set después de despedirnos. Se lo diré cuando sea el momento apropiado. Mientras tanto, aún tengo que encontrar el champú de Roland. Había buscado en todos los lugares posibles de Plymouth, de modo que pensé que lo mejor sería tomar la guía telefónica y llamar a todos los salones de belleza y todas las farmacias para ver si lo podía comprar en alguna parte del sudeste. Llamé a todos los salones entre Portsmouth y Bristol, pero me dieron la misma respuesta.

—Lo siento, querido, *Être* ya no se consigue.

—No, hace meses que no lo fabrican.

No quería volver a la oficina y admitir mi fracaso, pero a las cinco no me quedaba otra opción: había agotado todos los lugares posibles.

A Roland no le gustó. Estaba en la oficina con Sandra cuando volví y le di la mala noticia.

—¿Qué otra cosa se puede esperar cuando se contrata a un chico como asistente? —le dijo, sin siquiera volver a mirarme.

–Es que ya no se consigue –insistí, decidido a lograr que al menos reconociera mi presencia.

Por fin se volvió y me miró.

–Escucha, «ya no se consigue» no es aceptable. Si vuelves con una respuesta como ésa, no durarás un minuto en Hollywood.

¿Qué sabrás tú?, pensé. No eres más que un boy scout estirado que nunca llegó a líder. Yo le enseñaría quién no duraría en Hollywood. Conseguiría un frasco de su precioso champú aunque dejara la vida en ello.

Lo primero que hice fue preguntarle a la peluquera local por los proveedores de otras regiones. Por suerte, es mi mamá. Le conté lo que estaba buscando.

–Jamás oí hablar de *Être*, cariño –respondió–. Pero llama a Pat a Leicester; ella provee a los salones de belleza y a las tiendas elegantes más importantes de Londres. Quizá lo conozca.

Dos minutos más tarde, estaba al teléfono con tía Pat.

–Espera un segundo –dijo–. Lo buscaré en la computadora. Sí, aquí está. *Être*. No, no es francés. Lo hacen en Scunthorpe. Pero la fábrica cerró el mes pasado.

–¿Hay manera de que puedas conseguirme un frasco? ¿No les habrá quedado alguno?

–No que yo vea. ¿Por qué tiene que ser *Être*?

–Es para un tipo de la producción. Es un tonto y quiere usar los mismos productos finos que las estrellas.

Tía Pat rió.

–Sí, muy tonto. Casi todos los champús tienen la misma base; lo que los hace parecer diferentes es el aroma que se les agrega y la presentación. Y eso es lo más caro de esas cosas: la presentación.

Eso me dio una idea. Aún tenía en la caja de mi bicicleta el frasco vacío de Donny, de modo que corrí a buscarlo. Subí al baño y le eché una medida del champú económico que mamá compra en el supermercado; luego hurgué entre la colección de aceites esenciales que ella tiene junto a la bañera. El de sándalo olía bastante exótico. Unas gotas de eso y voilà... *Être*, al estilo Zoom.

A toda prisa, volví a la oficina a llevárselo a Roland.

–Te conseguí el último frasco que había en existencia –le dije, al tiempo que colocaba el frasco delante de él sobre el escritorio–. Es tu día de suerte, amigo.

Cuando me presenté en su oficina a la mañana siguiente, fue comiquísimo. Estaba mirándose en un espejo pequeño que había en la pared detrás de su escritorio. Se pasaba los dedos por el cabello.

–Ese champú vale cada centavo –dijo–. Y tiene un aroma increíble. Siempre se nota cuando algo es de calidad. Ahora entiendo por qué todos lo usan.

Le sonreí.

–Sí, claro.

Debe haber estado muy complacido conmigo porque, por una vez, no me envió a Plymouth ni al pueblo con ningún encargo caprichoso. En cambio, me dijo que me reportara en la casa principal, donde el equipo estaba filmando un par de escenas entre Herbert Pocket y Pip.

–Jenny, la chica de continuidad, llamó para avisar que se intoxicó –explicó Roland–, y no encuentro quien la cubra. Dime, ¿tú sabes lo que es la continuidad?

Asentí. Vaya si lo sabía. El trabajo de quien está a cargo de la continuidad consiste en hacer un seguimiento de cómo se ven las cosas de una escena a otra para asegurarse de que no se haya cambiado nada a menos que así deba ser. Parece fácil, pero una película tiene, en promedio, más de doscientas escenas, que a menudo se filman fuera de secuencia y luego el director y el editor las ensamblan en el orden correcto al final. Es común que haya errores. Se llaman *bloopers*, y descubrirlos o leer sobre ellos es uno de mis pasatiempos preferidos.

En la web hay algunos sitios increíbles que enumeran los más famosos. Según mi sitio favorito, *Titanic* tiene ciento ochenta y cinco *bloopers*. En *Harry Potter and the Philosopher's Stone*, hay ciento cuarenta y uno. En *Lord of the Rings: The Fellowship of the Ring*, ciento diecinueve. Tengo mis preferidos, como aquel en que se dice que, durante la filmación de *Bonfire of the Vanities*, Melanie Griffith se hizo una operación para agrandarse el busto. Entonces, como la filmaron fuera de secuencia, sus pechos pasan de normales a enormes y otra vez a normales durante toda la película. Y el que probablemente haya sido el más famoso error cinematográfico de todos los tiempos ocurre durante la escena de la carrera de cuadrigas de *Ben-Hur*, cuando se ve claramente que uno de los aurigas tiene puesto un reloj pulsera. No muy correcto para la antigüedad. Supongo que soy un poco obsesivo cuando se trata de coleccionar ejemplos. De modo que, sí, sé qué es la continuidad y qué son los *bloopers*, pero no quise decirle mucho a Roland para que no pensara que era un sabelotodo.

–Bien, tu trabajo consiste en observar la utilería de una escena a otra –explicó Roland–. En particular, presta atención a los niveles de comida y bebida. Entiendes, ¿no?

–Cuenta conmigo. Sé qué hacer –respondí.

Corrí a la casa y tomé mi lugar en el fondo de la habitación, donde los técnicos de sonido e iluminación estaban terminando de prepararlo todo. Tomé nota mentalmente de la disposición. Miré a los actores. Donny estaba allí, con un actor a quien no reconocí y que hacía el papel de Herbert. Me fijé en cómo estaban vestidos. Eché un vistazo a sus muñecas por si alguno había olvidado quitarse el reloj pulsera digital; supongo que no los había en la época de Dickens. ¿A alguno le sobresalía un pañuelo del bolsillo o alguna otra cosa que pudiera cambiar en caso de tener que repetir la toma? Observé la mesa donde estarían comiendo: había tazas de porcelana, que estarían bien mientras no se pudiera ver el nivel de líquido que contenían; un tazón de frutas que incluía uvas y un par de manzanas, y rebanadas de pan en un plato. Mejor que no pierda de vista esas cosas, pensé.

Charlie estaba ocupada en el otro extremo de la habitación, hablando con algunos del equipo, y al verme me saludó con la mano. Yo le respondí de la misma manera. Me sentía fantástico al estar allí, en el centro de todo, participando en la acción en lugar de correr de un lado a otro haciendo mandados. Para esto me había anotado.

–¿Dónde hay más frutas y pan? –le pregunté a Sandra, cuando pasó de prisa. Señaló una mesa que había detrás de cámaras–. Hay un montón allá –respondió–. Suficiente pan y fruta fresca para setenta tomas.

Le hice una seña con el pulgar levantado.

Charlie dijo «Acción» y los dos actores entraron a escena. Pip dijo sus líneas mientras tomaba bocados de una manzana, y después comía una rebanada de pan. Herbert bebió de una de las tazas y comió algunas uvas. Era una escena corta, de apenas un par de líneas, de modo que no demoró mucho.

–Hagámosla de nuevo –dijo Charlie, ubicándose para filmar la escena desde otro ángulo.

–Utilería –llamó Sandra.

De prisa, fui y reemplacé la manzana comida por una nueva, la rebanada de pan por otra, y las uvas, por un racimo que no había sido tocado.

Charlie volvió a gritar «Acción» y los actores repitieron la escena.

–Bien, sigamos adelante –dijo Charlie cuando terminaron.

Los actores pasaron a la escena siguiente, en la cual Herbert sale de la habitación y Pip queda solo. Yo estaba disfrutando mucho al observar el proceso. Charlie era perfeccionista y hacía que los actores repitieran cada escena una y otra vez. Filmaba la escena desde varios ángulos para poder editarla más tarde de modo que el público viera la reacción de Pip hacia Herbert, y luego la reacción de Herbert hacia Pip. Luego anunció que quería repetir la primera escena. Yo estaba a punto de volver a entrar para cambiar las frutas y el pan cuando apareció Roland detrás de mí.

–Te necesitan afuera –dijo–. Yo me haré cargo aquí.

–Pero... –Señalé la mesa del desayuno.

–Las próximas escenas serán en exteriores. Te necesito al final del camino. Cerciórate de que no haya autos ni motocicletas que vayan a pasar y arruinar la filmación.

–De acuerdo –respondí–. Pero Charlie quiere repetir la primera escena y hay que reemplazar las frutas. Ah, y una rebanada de pan.

Roland me miró con desdén.

–Ya sé cómo funciona –dijo.

–No dije que no lo supieras –respondí–. Sólo pensé que querrías saber en qué estamos.

–Limítate a ir allá afuera y despejar el área –replicó.

Nada de espíritu de equipo, pensé, pero no hay problema. Salí al exterior. Una de las asistentes de producción que estaba preparando las cosas afuera, me indicó dónde ir. Señaló hacia el sendero privado y fui a montar guardia al final del camino que conducía al lugar donde se filmaría la siguiente escena. Los técnicos de iluminación estaban trabajando duro y los asistentes de producción corrían de un lado a otro para asegurarse de que todo estuviera en su sitio. Es asombrosa la cantidad de gente que se necesita para hacer una película, pensé, mientras los observaba cumplir con sus diversas tareas. Al verlos a todos en acción, entendí por qué era tan larga la lista de nombres que se ve al final de las películas.

Algunos autos trataron de pasar, pero la mayoría no tuvo problemas en dar la vuelta o tomar otra ruta, de modo que mi trabajo era relativamente fácil. Entonces apareció un *Ford Fiesta* rojo.

–Oye, tú, el sujeto feo de pelo erizado –gritó el conductor–. ¿Qué están filmando?

Sonreí al reconocer a mi primo Roger. Desde que éramos pequeños, nos hemos tratado así en broma, atacándonos y compitiendo por ver quién inventaba el peor insulto. Señalé a un grupo de extras que esperaban en el otro extremo del camino, todos vestidos en trajes de época para la siguiente escena.

–Obviamente, nada que necesite un *Fiesta* rojo en el fondo, infeliz –le respondí, también a los gritos–. Ahora desaparece y no vuelvas.

Roger me hizo un gesto grosero y yo le dediqué otro. Puso marcha atrás y se alejó. En ese momento vi que Roland y Sandra habían salido de la casa y estaban a corta distancia, a mi izquierda. Roland se veía furioso.

–Jamás vuelvas a hablarle así a alguien del público –me gritó.

–Pero... es mi primo –le expliqué–. Mi primo Roger. Estábamos bromeando.

Lamentablemente, Roland no lo veía así.

–Tu conducta no es en absoluto profesional –dijo, ante la mirada de Sandra–. Los demás no saben que es tu primo y les habría parecido una grosería increíble.

–Pero no hay nadie más –protesté–. Nadie que pueda oírnos, salvo tú y Sandra.

Sandra parecía avergonzada de presenciar eso. Yo también estaba avergonzado. ¿Por qué tenía que reprenderme así delante de ella? Me hacía quedar como un idiota. Le duró poco el efecto del champú, pensé. Obviamente era una pérdida de tiempo tratar de congraciarme con él. No había tardado mucho en volver a tomársela conmigo.

–Yo me haré cargo aquí; es obvio que eres incompetente –dijo Roland, despidiéndome con un gesto de la mano.

–Entonces, ¿qué hago ahora? –pregunté.

En ese preciso momento, Charlie salió a los escalones de la casa.

–Aguarden un momento, los de exteriores –dijo, mirando al cielo, que empezaba a oscurecerse–. Maldición, espero que no llueva.

–¿Cuál es el problema? –preguntó Sandra.

Charlie me miró.

–La utilería. Tenemos que rehacer las primeras escenas. En una de las tomas, las frutas no concuerdan con las de las escenas siguientes; ya están comidas y la continuidad está mal. Dios, detesto cuando pasan estas cosas. Nos hace perder mucho tiempo. –Echó otro vistazo al cielo–. Sólo espero que no llueva por una hora más.

Roland me miró con aire acusador. No pensaba tolerarlo.

–Yo no fui –dije–. Observé cada escena, cada bocado que se comía y bebía. Todo estaba en su lugar. Para la primera escena, me aseguré de que la comida apareciera intacta cada vez.

–Bueno, pues yo no fui –replicó Roland.

Charlie nos miró con expresión cansada y volvió a entrar. Yo estaba furioso. Sabía que era él quien lo había arruinado y no era capaz de admitirlo. Yo había colocado cada fruta y la rebanada de pan en su sitio para las escenas.

–Y ¿qué quieres que haga? –le pregunté.

–¿Hay algo que puedas hacer sin meter la pata? No lo sé. Ve a buscar un pronóstico meteorológico y trae el informe.

Era bastante obvio que las perspectivas no eran buenas, pero me alejé deprisa. Tenía muchas ganar de golpearlo. Fue muy rápido hacer lo que me había pedido: simplemente llamé al servicio meteorológico. Decía que llovería más tarde.

–Ve a decírselo a Charlie –dijo Roland–, ya que fuiste tú quien la demoró.

–No es cierto –respondí.

Pero fui a la casa a buscar a Charlie para darle la noticia. Esperé a un lado pues estaba ocupada repitiendo las tomas; luego le di el informe meteorológico. Quizá fue mi imaginación, pero no la vi tan amigable conmigo como lo era normalmente. Me sentí pésimo. Tal vez ella no creía que no era yo quien había arruinado las cosas. Pero al menos se podía resolver. Ella había descubierto el error de continuidad y había repetido las tomas. Quizá podría recuperar el tiempo perdido.

Las nuevas tomas llevaron unos veinte minutos y luego la acción pasó a exteriores. Roland estaba en el extremo del lugar y no parecía tener prisa por darme mi siguiente tarea, de modo que decidí quedarme a mirar lo que pasaba. Parecía que el tiempo aguantaría un rato más, de modo que era posible que todo saliera bien. Yo esperaba que así fuera.

Empezó la acción y la escena estaba en pleno desarrollo cuando se produjo el segundo desastre. El lugar se veía estupendo. La luz estaba excelente. Los trajes, fabulosos. Los actores decían sus líneas en forma brillante. Los extras iban y venían en el fondo. Charlie filmaba y parecía que todo iba muy bien.

Entonces se oyó un bramido muy intenso. Todo el mundo levantó la vista y vimos una formación de jets que pasaba por encima. ¡Un efecto nada adecuado para el cambio de siglo!

–¡Noooooo! –exclamó Charlie, con exasperación.

Todo se detuvo mientras esperábamos que el sonido se apagara y que los jets desaparecieran a la distancia.

–De acuerdo, vamos a tener que empezar de nuevo –dijo Charlie–. Maldición, y casi habíamos terminado. Roland, sabíamos que estas exhibiciones aéreas se dan aquí de vez en cuando. Te pedí que investigaras dónde y cuándo. ¿Cómo se te escapó ésta? Seguramente la habrán anunciado.

Roland suspiró y me señaló.

–Lo siento mucho, Charlie. Le pedí a ese chico que contrataste que lo hiciera.

Esta vez estallé.

–De ninguna manera. Nunca me lo pediste, Roland. ¡Es mentira!

–¿Ves? –prosiguió Roland–. Así ha sido desde el primer día. No quise molestarte con esto, pero realmente no sirve para este trabajo, Charlie. Y ahora está afectando la película...

–Pues resuélvelo –repuso Charlie con impaciencia–. No tengo tiempo para estas discusiones; estamos atrasados. De acuerdo, todo el mundo a su sitio. Empecemos de nuevo.

Me sentí indignado cuando la gente empezó a mirarme con desdén. Obviamente le creían a Roland y pensaban que yo había arruinado la continuidad de la escena del desayuno, y que ahora era responsable por el paso de ocho jets. Abrí la boca para volver a protestar, pero Charlie ya había empezado a filmar.

Y entonces ocurrió el tercer desastre: se oyó otro bramido desde el cielo, pero esta vez no eran aviones. Era un trueno. Luego hubo un relámpago y el cielo se abrió. Los camarógrafos se desesperaban por cubrir sus cámaras; los actores y el resto del equipo corrieron a refugiarse en la galería de la casa. De pronto el lugar quedó vacío.

Seguro que yo también tengo la culpa del diluvio, pensé, mientras me cobijaba debajo de un árbol, con la camiseta empapada por la lluvia. Bueno, al menos las cosas ya no pueden empeorar, pensé; me volví y empecé a caminar lentamente por el sendero privado, alejándome de la acción y de las miradas enfadadas del equipo y del elenco.

12
Paparazzi

A la mañana siguiente, me despertó un fuerte grito que provenía de la planta baja. Salté de la cama para ir a ver qué pasaba y un rápido vistazo a mi reloj me indicó que me había quedado dormido. Oh, no, pensé, al tiempo que recogía mis jeans del suelo y me los ponía, trastabillando. Eran las ocho y diez y yo debería haber estado en el set a las ocho. Roland me mataría. Salí al pasillo al mismo tiempo que papá y Will salían de sus dormitorios.

–¿Qué pasa? –preguntó papá, asomándose por encima de la baranda de la escalera.

–Esto –respondió mamá, agitando en el aire el periódico matutino. Sacó sus anteojos del bolsillo de su bata para mirar mejor–. ¡Zoom está en la primera plana!

Papá, Will y yo bajamos a la carrera y nos acercamos mientras ella leía el titular: *«Romance entre un muchacho local y una estrella»*.

–Vaya –exclamó Will, asombrado, al ver la foto de Savannah en su remolque, besándome–. ¡Nunca dijiste que habías tenido algo con ella!

–No tuve nada –respondí–. Estábamos ensayando...

–Ésa es buena –rió papá–. Nunca la había oído.

–Es verdad –insistí–. Dios mío, Lia.

–Parece que es un poco tarde para acordarte de Lia –dijo papá, tratando de leer por encima del hombro de mamá.

–¿Qué dice? –pregunté.

Mamá se subió los anteojos por sobre la nariz y leyó. «*Atrapados in fraganti. La famosa actriz Savannah (17) encontró el amor entre los lugareños. Savannah, que protagoniza la producción de* Grandes esperanzas *que se está filmando en Mount Edgecumbe, fue vista con un muchacho local, Jack Squires, en el pueblo costero de Fowey. Más tarde los vieron en el remolque de Savannah, en una situación más comprometida. No hubo comentarios de los representantes de la actriz, pero las lugareñas dicen que Jack, conocido como Zoom, siempre ha tenido éxito con las chicas y tiene reputación de rompecorazones.*»

No pude sino reír al oír eso. ¿Yo, un rompecorazones? Sólo he besado a tres chicas: Cat, Lia y Savannah.

Mamá me miró por encima de sus gafas.

–Parece que tienes algo que explicar, hijo.

Asentí y corrí a mi cuarto a buscar mi teléfono y mi abrigo. Luego salí deprisa hacia el trabajo.

Pero primero tenía que llamar a Lia.

Paré en un camino tranquilo y la llamé a su móvil. Estaba apagado, de modo que intenté con el teléfono de su casa. Atendió su mamá.

–Se fue a la ciudad con Zac y Donny, pasarán la mañana allá. ¿Quieres dejarle un mensaje?

–¿Un mensaje? –Me pareció que no era apropiado preguntarle a la mamá de Lia si había visto la foto de mi beso con Savannah. Sin duda, si la hubiese visto, me habría dicho algo–. Eh... esteee... no –respondí. ¿Dejar un mensaje? ¿Qué podía decir? ¿Y si había otros con ella cuando la madre le diera el mensaje? No, decidí que sería mejor hablar con ella personalmente, cuando estuviéramos solos.

–¿Estás bien, Zoom? –preguntó la Sra. Axford–. Suenas un poco raro.

–Sí, bien, eh... por casualidad, usted no vio el periódico de hoy, ¿verdad?

–Aún no, ¿por qué?

–Por nada. Por favor, ¿podría decirle a Lia que la llamé?

–Claro.

Cuando llegué a la oficina, Roland estaba afuera, revoloteando como una avispa lista para atacar.

–Llegas tarde –me dijo, mirando el reloj.

–Lo sé. Lo siento...

–¿Cuál es el primer mandamiento en un set? –preguntó.

Siempre obedecerás a Roland, pensé.

–¿Recordar que somos un equipo? –propuse, con esperanza.

–No: el tiempo es oro.

–Correcto –dije–. Lo siento, de verdad lo siento mucho. Me quedé dormido, y después, eh...

Roland sacó el periódico que tenía detrás de su espalda.

–No te preocupes. Todo el mundo lo ha visto. Y estás despedido.

–¿Qué? ¿Por besar a Savannah? Pero ella me lo pidió. Estábamos ensayando.

–No sólo por eso. Por llegar tarde hoy. Por todos los errores de ayer.

–Pero ninguno fue por mi culpa...

–En un set no hay lugar para peros –replicó–. Así que estás fuera.

–Pero sin duda Charlie...

–La Sra. Bennett, para ti. Bueno, ya la oíste ayer. Me dijo que lo resolviera, o sea, que me ocupara de ti, y eso hago.

Luego volvió a entrar a la oficina de producción y cerró la puerta con firmeza.

Estuve a punto de ir tras él para defenderme, pero me detuve. No tiene caso, pensé. Ha estado esperando este día desde la primera vez que me vio. Hay una sola persona que puede ayudarme a aclarar esto, y es Savannah.

Me dirigí a su remolque y llamé a la puerta. No había nadie. Mientras bajaba los escalones, pasó Chantelle.

–Savannah no está –me dijo.

–¿Adónde fue? –le pregunté.

Chantelle se encogió de hombros y luego me guiñó un ojo.

–Tal vez, a buscar amor entre los lugareños.

–Sí, muy gracioso –respondí.

–De hecho, quizá se marchó. Creo que hizo su última escena anteayer.

Me senté en los escalones y apoyé la cabeza en las manos. ¿Savannah se había marchado? Tal vez no llegó a ver el periódico. O quizá sí y fue a esconderse. No la culparía, pero pensaba que éramos amigos. Al menos, podría haberse despedido.

–Hola –dijo una voz amistosa, a mi derecha.

Levanté la vista. Era Mac.

–Pareces deprimido –observó, mientras se sentaba a mi lado.

–Acaban de despedirme.

–Ah, ¿por besar a Savannah?

–Por eso y por atreverme a respirar el mismo aire que Roland. ¿Ya viste el periódico, entonces?

Mac asintió.

–Al fin eres famoso. Aunque tal vez no en la forma en que querías, ¿eh? Mala suerte. Pero mejor no te quedes ahí con esa cara larga. Parece que estuvieras suspirando por Savannah.

–Chantelle dijo que tal vez se marchó.

Mac asintió.

–Sí, Becca dijo que se había ido.

–¿Hablaste con Lia? –le pregunté.

Meneó la cabeza.

Bec dijo que fue a pasar la mañana con su papá y con Donny. No sabe si Lia vio el periódico. ¿Qué vas a hacer?

–Tratar de explicárselo. Arreglar las cosas. Qué lío.

Mac me puso una mano sobre el brazo.

–Sí. –Luego rió–. Rompecorazones.

–Qué chiste –dije–. Apenas he besado a tres chicas.

–Bueno, no se lo digas a nadie. Tener reputación de rompecorazones puede hacer maravillas por tu magnetismo con las chicas.

–¿En serio?

–Sí, a ellas les encantan los chicos malos. Les gusta el desafío de poder ser la que logre domarlos.

–Pero a mí sólo me interesa Lia. Va a matarme si ve ese periódico, o mejor dicho, cuando lo vea.

–No es tu mejor día, ¿no?

–No es mi mejor semana. Casi había ahorrado lo suficiente para comprar otra cámara. Y lo habría hecho, si no le hubiera comprado las flores a Lia. Supongo que fue dinero perdido.

–Quizá no. No sabes cómo va a reaccionar a esa nota. Y las flores la fascinaron. Becca dice que cree que eres el chico más sensible que haya conocido.

–¿En serio?

–Sí –dijo Mac–. Tanto como Dawson, de *Dawson's Creek*.

–¿Dawson? –repetí, con una mueca–. El Sr. Sensible. Qué asco. Es casi afeminado. Yo no soy tan así. *«Oh, por favor. Dios mío, mi vida terminó.»*

Mac se echó a reír.

–Bueno, tal vez no tanto como Dawson; eso lo inventé yo. Tú nunca podrías ser tan así. Pero es verdad que Lia dijo que te cree sensible. Pero, volviendo al tema del periódico, ¿cómo vas a salir de ésa? Digo, sí besaste a Savannah. De eso no cabe duda.

–Sí, pero ella me lo pidió. Quería ensayar una escena de la película y Donny no estaba. Fue inocente. En serio.

–Y ¿qué tal estuvo?

–Mac...

–Oh, vamos, yo te lo diría.

–Bueno... Bastante apasionada, en realidad –respondí–. Pero fue inocente de mi parte, sinceramente. Incluso traté de imaginar que estaba besando a Lia, para no serle infiel.

Mac se desternilló de risa al oír eso.

–Entonces, ¿por qué no me lo dijiste?

–Quería decírselo primero a Lia. Pensaba hacerlo, de verdad. Sólo esperaba el momento más apropiado. Además, no pensé que tú me creerías que fue inocente.

Mac me apretó el brazo.

–Yo te creo, amigo. Pero muchos no lo harían.

Hice una mueca.

–Sólo espero que Lia esté de acuerdo contigo.

13
Rechazado

Después de hablar con Mac decidí no quedarme en el set. No con todo el mundo codeándose al verme y mirándome con cara de suficiencia. Monté en mi bicicleta y fui a Cremyll, donde me senté en un banco y empecé a evaluar mis opciones.

No faltaba demasiado para que se terminara la filmación aquí y el equipo se marchara a Londres a rodar las escenas de allá. Las vacaciones casi habían terminado. ¿Valía la pena ir a rogarle a Roland que me devolviera el trabajo porque aún necesitaba dinero para la cámara? De ninguna manera. Había dejado muy en claro que no me quería en el set. Yo no le había caído bien desde el primer día. Podía soportar no participar en los últimos momentos de filmación; de hecho, sería bueno disponer de unos días libres. Sí me molestaba que Charlie pensara mal de mí. Ella me caía bien. Tal vez le escribiría unas líneas cuando todo terminara para aclarar las cosas.

¿Y Savannah y la foto? Tendría que dejar pasar eso, pensé. Sin duda, seguirían haciéndome bromas al respecto durante meses, pero a la larga los chismes se acabarían y yo habré aprendido una buena lección acerca de cómo la prensa puede inventar algo en base a nada. Es una pena no haber podido despedirme de ella. Realmente creía que nos habíamos hecho amigos. Pero esa es otra lección, me dije. Algunas personas son como la vida: a veces te toman, a veces te dejan.

¿Y Lia? Al pensar en Lia se me encogió el estómago. Antes, pensar en ella me daba una sensación agradable; ahora sólo sentía un nudo de angustia. Savannah, Charlie, todo el set y todo el equipo habrían desaparecido en unos días. Pero Lia... Ella era parte de mi vida. Seguiría viéndola en la escuela todos los días. Tenía que resolver las cosas, o el verla sería un recordatorio constante de lo que habría podido ser si yo hubiese cumplido la promesa que le hice aquel día en la playa de Whitsand. Ojalá le hubiera contado sobre el beso del ensayo. Ojalá pudiera hacer volver el tiempo atrás unos días; quizá podríamos reírnos de todo esto y ella seguiría siendo mi novia.

Éste tiene que ser uno de los peores días de mi vida, pensé, sentado allí en la playa. Nunca me había sentido tan confundido. Estaba furioso con Roland; había sido muy injusto al despedirme.

Me dolía que Savannah se hubiera marchado sin siquiera despedirse. Ni siquiera por teléfono. Y, a juzgar por las reacciones que había visto esa mañana en el equipo, sin una palabra en mi defensa. Ella habría podido decir algo, pero eso (o, mejor dicho, yo) obviamente no era tan importante para tomarse la molestia.

Me sentía absolutamente rechazado. Pero aún quedaba Lia. Ella no me había rechazado; aún no. Y tal vez yo podría salvar lo nuestro. Seguramente vería el periódico tarde o temprano, pero tal vez, si yo iba con la verdad y me disculpaba por no habérselo contado, si me rebajaba, le rogaba, me ofrecía a llevar sus libros a la escuela por toda la eternidad, ella podría perdonarme. Como dice mi mamá, «esto no se acaba hasta que se acaba».

Metí la mano en el bolsillo, saqué mi teléfono móvil y volví a probar con el de Lia. Seguía apagado, pero esta vez le dejé un mensaje: «Lia, realmente necesito hablar contigo. ¿Has visto el periódico de hoy? Puedo explicártelo. Llámame apenas escuches este mensaje. Por favor».

Esperé media hora en Cremyll y vi llegar dos trasbordadores y descender a los pasajeros. Me sentía aturdido, sin saber qué hacer. ¿Debía tomar un trasbordador a Plymouth y buscar a Lia? Mejor no, decidí. En primer lugar, no sabía adónde habrían ido; probablemente habían llevado a Donny a almorzar a algún sitio elegante. Además, no lo quiero cerca cuando vea a Lia. Tal vez ella ya vio el periódico y sería humillante que me rechazara delante de Primadonny. Y si el papá de Lia también estaba allí… Me agrada Zac Axford y nos llevamos muy bien, en circunstancias normales, pero quizá no sería tan amigable si creía que yo había engañado a su hija.

Pensé en ir a casa de Lia y esperar en la entrada. Podría hablarle a solas y explicarle todo. Al fin y al cabo, todo fue inocente. Pero no lograba disipar esa sensación persistente en la boca del estómago. La promesa. Esa que nos habíamos hecho de decirnos la verdad. Yo podía ser inocente en cuanto al beso, pero no había cumplido esa promesa. Promete decir la verdad, aunque duela, sea lo que sea. Eso era lo que ella me había pedido.

Fui a casa y, por suerte, no había nadie; no tenía muchas ganas de hablar. Salvo con Lia, claro. Me preparé un sándwich pero no pude comerlo. Subí a mi cuarto. Parecía que hubiese caído una bomba allí; no lo ordenaba desde el comienzo de la filmación. Sin ganas, empecé a guardar cosas. Cada quince minutos, intentaba comunicarme al teléfono de Lia. No me importaba si parecía desesperado. Quería que supiera cuánto ansiaba hablar con ella.

Alrededor de la una, decidí llamar a su casa y ver si su mamá tenía idea de a qué hora podría volver.

–Acaban de llegar –dijo–. Espera, la llamaré.

Sentí que mi corazón empezaba a golpetear en mi pecho. Un momento después, su madre volvió a atender.

–Lo siento, Zoom, dice que no quiere hablar contigo.

–Ah, entiendo –respondí. O sea que vio el periódico, pensé.

–¿Pasa algo? –preguntó la Sra. Axford, que obviamente no lo había visto pero quizá pronto lo vería.

–Podría decirse que sí. Por favor, dígale a Lia que puedo explicarle todo. Por favor, que me llame.

Colgué y me quedé mirando la pared. Luego miré el teléfono y deseé que sonara. Pasaron cinco minutos, diez minutos. Suena, suena, por favor suena, pensé. Tal vez Lia le había mostrado el periódico a su mamá y todos estaban insultándome. Me sentía horrible al imaginar que todos pudieran pensar tan mal de mí.

Al cabo de media hora, ya no pude soportarlo y llamé al móvil de Lia. Esta vez me asombró descubrir que no estaba apagado.

—Hola —dijo. Al instante me di cuenta, por su voz, de que había estado llorando.

—Lia, habla Zoom. ¿Estás... estás sola?

—Sí.

—Lia, puedo explicártelo. Ese beso... no fue nada. Savannah tenía que hacer esa escena con Donny. La escena incluía un beso. Quiso ensayarla y me pidió que hiciera la parte de Donny. No fue más que eso, lo juro. Yo ni siquiera quería hacerlo, pero ¿cómo podía negarme?

Hubo silencio en la línea.

—Lia, por favor dime algo. Iba a decírtelo, de verdad. Lo prometo.

—Yo... ya no puedo creer en tus promesas —respondió en voz baja.

—Lo sé, lo sé —gemí—. Sé que debí decírtelo antes y pensaba hacerlo. Traté de decírtelo el día que te regalé las flores, aquel día en Cremyll, pero te vi tan feliz y lo estábamos pasando tan bien que no quise arruinar el momento. Creo... creo que me acobardé.

Otra vez hubo silencio en la línea.

—Por favor, Lia, di algo.

—Déjame en paz —dijo—. Sólo déjame en paz. No quiero verte más. Déjame en paz.

Y cortó.

14
Cadena de rechazos

Tres rechazos consecutivos. Deberían darme un premio, pensé, mientras recorría en bicicleta los senderos ventosos que conducían a Rame Head.

Roland me había despedido. Savannah me había abandonado. Lia me había dejado.

¡Qué mala racha! Mamá siempre dice que las cosas pasan de a tres y, en mi caso, se había cumplido. Y ahora necesito estar solo y contemplar el cielo, o mirarme el ombligo o lo que sea que se hace cuando la vida se pone tan mala.

Rame Head es uno de mis lugares preferidos en todo el mundo.

No es que haya viajado tanto. Pero creo que, cuando lo haga, seguiré atesorando este lugar. El sitio en sí es la ruina de una capilla que está sobre una colina pequeña en la cima de la Península Rame. Desde allí, la vista es espectacular: sólo mar y cielo hasta donde se alcanza a ver. Pero es más que un lugar bonito. Hay una quietud que me hace sentir energizado siempre que voy. Si alguna vez me siento decaído, sé que basta con pasar media hora allá arriba para recargar las baterías.

Cuando llegué al estacionamiento al pie de la colina, aseguré mi bicicleta a la cerca y subí hasta la capilla en ruinas. Al llegar, me senté en el muro que está frente a las ruinas y me quedé contemplando el mar. Allí había llevado a Lia cuando nos dimos el primer beso. Parecía haber pasado mucho tiempo. Sabía que había arruinado las cosas con ella.

Nunca me había sentido tan deprimido. Había tratado de ser todo para todos. El novio perfecto. El empleado perfecto. El hijo perfecto. Y ¿adónde me había llevado todo eso? A la cima de una colina, solo, sin novia, sin trabajo y sin dinero suficiente para reemplazar la cámara que había roto. El tonto de la colina. Había una canción de los Beatles que se llamaba así. Pues bien, ése soy yo: el tonto de la colina.

De pronto tuve deseos de gritar hasta quedar sin voz. Había leído en una de las revistas de mamá sobre la llamada terapia del grito primario, en la cual la gente hace exactamente eso: grita a más no poder. Recuerdo que en su momento me pareció una locura, pero ya no. Hoy no. Eché un vistazo colina abajo para cerciorarme de que estaba solo y no iba a asustar a nadie, respiré hondo y lo dejé salir:

–A A A A A A A A A A A A A A A A A A A A A A A A A A A A A AHHHHHHHHHHHHHHHHHHHHHHHHHHHHHHHHHHH HHHHHHHHHHHHHHHHHHHHHHH...

Tomé más aire y lo solté otra vez.

–A A A A A A A A A A A A A A A A A A A A A A A A A A A A A AHHHHHHHHHHHHHHHHHHHHHHHHHHHHHHHHHHH HHHHHHHHHHHHHHHHHHHHHHHHHHHHHHHHHHHHH HHHH.

De pronto, la situación me pareció absurda y empecé a reír sin poder parar. Dios, realmente soy el tonto de la colina, pensé. Si alguien me viera, pensaría que estoy loco de remate. Pero, en cierto modo, los gritos parecían haber dado resultado. Decididamente me sentía mejor, como si hubiera liberado parte de la tensión acumulada en las últimas semanas. Todo se desvanecía: Roland, Charlie, Savannah, Donny, Sandra, Chantelle, Martin Bradshawe, todos se marcharían pronto y la vida en la Península Rame volvería a la normalidad. ¿Que mi experiencia laboral había sido un completo desastre? ¿Y qué? No era el fin del mundo. Pronto empezarían las clases otra vez. Podía retomar mi trabajo de repartir periódicos, terminar de ahorrar para comprar la cámara. La vida continuaría. Quizás hasta le contaría a papá la verdad sobre lo que había pasado: que me había caído y se había dañado la lente. De hecho, no sé por qué no lo hice desde el principio. Él lo habría entendido. Es un buen tipo, y tanto él como mamá siempre están tropezando con los objetos que Amy deja tirados por ahí. Son cosas que pasan. Las cosas se rompen. Nadie es perfecto.

Sólo deseaba no haber perdido a Lia.

Sentado allí, mirando el mar y pensando, había una frase que se repetía en mi mente una y otra vez: todo pasa, todo pasa. Muy cierto, pensé, mientras mis ojos se cerraban, mis extremidades empezaban a volverse más pesadas y...

Debo haberme dormido porque lo siguiente que percibí fue que alguien me sacudía el hombro.

–Zoom, Zoom...

Era Cat.

–Hola, ¿qué? ¿Dónde...? –balbuceé.

Rió.

–Te quedaste dormido.

–¿Cómo supiste que estaba aquí arriba?

–¿Dónde más podías estar? –respondió, sonriendo–. Siempre vienes aquí cuando las cosas no te salen bien y sé que has tenido un día difícil.

–Eso es poco decir.

–¿Estás bien?

Asentí.

–Sí. Eh... ¿cuánto hace exactamente que estás aquí? –le pregunté, temiendo que hubiese visto u oído mi episodio maníaco de gritos primarios.

–Acabo de llegar.

–Ah, entonces ¿no oíste nada?

–¿Como qué?

Miré mi reloj. Asombroso. Había dormido más de una hora.

–Nada.

–Dime, ¿puedo ayudarte en algo, Zoom?

–No, sólo necesitaba estar solo un rato. Ya sabes, para pensar un poco.

–¿Quieres que me vaya?

Meneé la cabeza.

–No, claro que no.

–Me enteré de que te despidieron.

Asentí.

–Y me dejaron. Y me abandonaron.

–¿Savannah?

Volví a asentir.

–Aparentemente se fue. Pensé que éramos amigos.

Cat entrelazó su brazo con el mío.

–No, nosotros somos amigos –dijo–. Tú, yo, Mac, Becca y Lia.

Le sonreí. Querida Cat.

–Lia no, no lo creo. No quiere verme más. Qué cosa, ¿no?

En ese momento, hubo una señal en mi teléfono móvil. Eché un vistazo pero no reconocí el número. Vi que tenía cuatro llamadas perdidas. Seguramente habían entrado mientras yo gritaba o dormía. No importaba. No quería hablar con nadie a no ser Lia, y estaba seguro de que ella no quería hablar conmigo. Aún no.

–Bueno, pronto volvemos a la escuela –dijo Cat.

–Sí, justamente estaba pensando en eso. El equipo de filmación se irá y todo parecerá un sueño. O una pesadilla.

–¿Fue como pensaste que sería?

–Sí y no. No sé lo que esperaba. Tal vez que todos fueran, no sé, un poco más amables. Me entusiasmaba mucho poder trabajar en un set. Pero, como en todas partes, allí hay todo tipo de personas: gente buena como Martin Bradshawe y gente horrible como Roland. Creo que, en cierto modo, aprendí mucho. Aprendí a cuidarme las espaldas, que no todo el mundo está de mi lado sólo por estar trabajando en el mismo proyecto...

Mi teléfono volvió a sonar.

–¿No vas a atender? –preguntó Cat.

Meneé la cabeza.

–Durante semanas estuve a disposición de todo el mundo. Si alguien llamaba, atendía al instante. Ahora he vuelto a tener mis tiempos.

–Podría ser Roland, tratando de disculparse... –Hice una mueca–. Bueno, tal vez no –dijo–. Mira, tengo mucha hambre. Vamos a mi casa a comer algo. Cuando las cosas se ponen feas, nada mejor que un buen bocado.

Reí y de pronto me di cuenta de que no había comido en todo el día.

–Buena idea –respondí.

Mientras regresábamos al pueblo en mi bicicleta, con Cat en la parte de atrás sujetándose de mi cintura, vimos a papá, que nos pasó en su camioneta. Se detuvo unos metros delante de nosotros y bajó de un salto.

–¿Dónde estabas? –preguntó–. Todo el mundo te estuvo buscando. ¿Nunca enciendes el móvil?

–No, digo, sí. ¿Por qué? ¿Qué pasó? ¿Mamá está bien?

–Sí, no es nada de eso. Todos están bien. Charlie Bennett te estuvo buscando, por algo relacionado con las locaciones, y dice que eres el único que puede ayudarla.

Cat levantó una ceja y sonrió.

–Dejó este número –dijo papá, al tiempo que me ponía un papel en la mano–. Pidió que la llames en cuanto puedas.

–Pero me despidieron –dije.

–Creo que verás que Charlie tiene un poco más de influencia que la Rata Roland –respondió Cat.

–Sí. Cierto. Claro –dije, mientras marcaba el número.

Charlie mostró un alivio inmenso cuando la llamé.

–Necesito una playa que tenga buen acceso –dijo–. Las de Whitsand son bellísimas, pero no podemos bajar toda la utilería y las cámaras por esos acantilados. Sé que hay playas en Kingsand y Cawsand, pero hay demasiada gente, y ni hablar de los barcos y los signos de modernidad. ¿Se te ocurre alguna que podamos usar?

–Es fácil. Tienes dos opciones –respondí–. Está la playa cerca de Portwrinkle, pasando el pueblo de Crafthole, a mano izquierda. Es fácil llegar y no hay ni un café a la vista. O puede ser la playa de Penlee Point. Está debajo de la ruina que te mostré, a la izquierda, como escondida.

–Excelente –dijo–. Sabía que tú podrías resolverlo. Pero ¿dónde has estado? Te busqué por todos lados y Roland no tenía idea de dónde estabas.

–Me despidieron.

Hubo un silencio en la línea.

–¿Roland? –preguntó por fin.

–Sí.

–Pues estás contratado de nuevo, si quieres. Ven a verme a la oficina en media hora e iremos a ver esas playas de Portwrinkle y Penlee Point.

–Allí estaré –respondí.

Cat rió cuando corté la llamada.

–El chico se queda en la película –dijo, fingiendo acento estadounidense y fumando un cigarro imaginario.

–Algo así –respondí, sonriendo.

15
Lo siento mucho

Charlie quedó complacida con las locaciones que le mostré y, alentado por mi cambio de suerte, decidí sincerarme con papá acerca de la cámara apenas llegué a casa esa noche.

Lo tomó muy bien.

—Podría haberle pasado a cualquiera en esta casa —dijo, mirando cómo Amy trataba de obligar a su oso de peluche a comer de su plato—. Pero ojalá me lo hubieras dicho antes. Podría haberle pedido al primo Ed que se ocupara.

—No quería que pensaras que soy un tarado —expliqué—. Ya sabes, por romper el juguete nuevo el primer día.

—No te preocupes —respondió papá, y rió—. De todos modos pienso que eres un tarado, así que en eso no hay cambios.

—Gracias, papá —dije, sonriendo. Sabía que era su extraña manera de decirme que todo estaba bien.

Después de la cena, subí a mi cuarto y llamé a Lia. Tenía la esperanza de que mi nueva racha de suerte se extendiera también a ella. Crucé los dedos y rogué que así fuera.

Lamentablemente, no fue así pues no quiso atenderme.

—Supongo que podrías volver a regalarle flores —dijo Becca al día siguiente, cuando nos encontramos en la tienda comedor—. La última vez quedó fascinada.

Meneé la cabeza.

–Eso ya lo hice.

–Bombones –propuso Mac.

–Un poema de amor –sugirió Cat.

–Yo soy Zoom, alto y flacucho –empezó Mac–. Metí la pata, lo siento mucho.

–Muy romántico no es –dije.

Estaba agradecido por el apoyo de mis amigos. Al menos seguían siendo mis amigos y, aunque al principio Becca me había tratado con cierto desdén, después de regañarme por el beso con Savannah, había decidido que yo no era ningún rompecorazones.

–Yo podría escribir una canción de amor para ella –propuso Becca.

–Noooo –respondimos todos a coro. Las canciones de Becca son peores que los poemas de Mac, aunque nadie se ha atrevido a decirle la verdad al respecto.

–¿Por qué no? –preguntó.

–Esteee... debería provenir de mí –respondí, y miré a Cat–. O tal vez no. Tú podrías ayudarme, si quieres, Cat.

–Claro –dijo.

–Dile que me crees. Y Becca y Mac, díganle otra vez que el beso fue parte de un ensayo. Explíquenle que no significó nada.

Cat puso los ojos en blanco.

–Oh, por favor. Ya le dije todo eso ayer.

–Entonces, ¿por qué sigue sin hablarme?

–Dijo algo acerca de que no puede confiar en ti y que la confianza es lo más importante en una relación. Algo sobre una promesa que le hiciste.

Suspiré.

–Lo sé, en eso me equivoqué. Pero ella puede confiar en mí.

–Dijo que no era el hecho de que besaste a Savannah y de que salió en primera plana. Era porque no le dijiste nada y ella fue la última en enterarse en todo Cornwall. Que la hiciste quedar como una estúpida, eso dijo.

Hice una mueca. Eso debió de ser muy duro para Lia y no había nada que yo pudiera decir en mi defensa. Recordé lo que le había dicho acerca de la gente que sólo omite contar algo cuando tiene algo que esconder, o cuando ocurre algo que no quiere que el otro sepa. Y yo no le había contado sobre el ensayo ni sobre la foto. Se lo había ocultado. Es extraño, pensé. Las dos veces que retuve información para proteger a alguien fueron las dos veces que las cosas resultaron muy mal para mí. Primero no le conté a papá que se me había dañado la cámara para que no se preocupara. Si hubiera ido con la verdad, podría haberse resuelto por medio del primo Ed, y todo habría terminado allí. En cambio, conseguí el trabajo como asistente de producción para costear la reparación y me las ingenié para meterme en líos. Y segundo, no le dije a Lia que Savannah me había pedido que ensayara con ella. Habíamos prometido decirnos la verdad, fuera lo que fuese. Había tenido la oportunidad de sincerarme, pero no lo había hecho por no arruinarle el día. Pero, al ocultárselo, había acabado por lastimarla más.

–Necesitas algo especial –dijo Cat–. Ni las flores, ni los regalos de siempre. Haz algo que sea exclusivo de Zoom. Algo único. Cualquiera puede comprarle algo.

–Sí –acotó Mac con una sonrisa divertida–. Haz algo típico de Dawson.

Le pegué un puñetazo leve en el brazo y las chicas nos miraron con aire interrogante.

–Un chiste privado –expliqué–. Es una buena idea, Cat. Hacer algo único. Pero ¿qué?

–Ya sé –dijo Mac–. El año pasado, cuando le pregunté a mi abuela qué quería como regalo de Navidad, me respondió que a esa altura de su vida ya tenía todo lo que quería y podía comprarse lo que se le ocurriera. Dijo que el mejor regalo es una experiencia.

–¿Cómo qué? –preguntó Becca–. ¿Una noche con un *stripper*?
Mac rió.

–No, a la edad de mi abuela, una noche con un *stripper* podría matarla. No, mamá le regaló un tratamiento facial y yo, una manicura.

–Entonces, ¿lo que dices es que yo debería llamar a Lia, volver a pedirle disculpas y preguntarle si quiere que le arreglen las uñas?

–No, tonto –respondió Mac–. Nada de eso. Ya se te ocurrirá algo.

Nos quedamos un rato sentados, conversando sobre lo que yo podía hacer. Hasta que, de pronto, tuve una idea. Eso podría funcionar.

Dispusimos todo para la noche siguiente. Primero, envié a Lia una invitación hecha a mano, con una imagen de una orquídea, que recorté de una revista.

Estás invitada a una exhibición privada de When Harry Met Sally
Dónde: En el jardín de la casa de Zoom
Cuándo: El sábado a las 9.30
Vestimenta: Informal

When Harry Met Sally era la película favorita de Lia. La alquilé en el videoclub. Después, fui a comprar la comida preferida de Lia para ver películas: helado *Häagen Dazs* de chocolate, palomitas de maíz acarameladas y muchos refrescos. Cuando llegué a casa, Mac vino a ayudarme con el jardín. Saqué todas las luces de Navidad y las dispuse sobre arbustos y árboles de modo que el jardín parecía un país de hadas. Aún se mantenía el clima inusualmente templado de los últimos días y, con un poco de suerte, duraría una noche más.

Papá pensó que estaba loco pero, cuando mamá se enteró de cuál era el plan, le pareció encantador.

–Va a quedar taaaaaan romántico –suspiró–. ¿Cómo podrá Lia resistirse?

Papá, Mac y Will me ayudaron a mover los muebles. Pusimos almohadones viejos en el césped y también mantas, por si más tarde refrescaba. Trasladamos el televisor y el reproductor de video hasta el ventanal, dando hacia el jardín. El último toque consistió en colocar a lo largo del borde del sendero velitas de noche en bolsas de papel, sostenidas con un poco de tierra de los canteros. Quedaron estupendas, como farolitos japoneses. Cat y Becca se ofrecieron a hacer de acomodadoras. Se pusieron pantalones negros, blusas blancas y gorras de béisbol para que pareciera que estaban de uniforme. Me duché, me cambié, me puse un poco del perfume *Armani* de papá y estuve listo.

La escena estaba preparada. Encendimos las luces.

Mamá y papá se habían ido con Amy a visitar a un vecino.

Mi hermano Will se quedó y estaba listo con la linterna para guiar a Lia a su lugar.

Becca estaba lista con el helado.

Cat tenía listos los bombones, las palomitas de maíz y las gaseosas. Sólo faltaba una persona...

Lia.

Pasaron las nueve y media. Las diez. Las diez y cuarto.

—No vendrá, chicos —dije, por fin—. Abramos el helado. No hay por qué desperdiciarlo.

Cat y Becca trataron de consolarme. Hasta Mac y Will hicieron un intento de alegrarme, ofreciéndose a prender fuego a sus pedos, pero yo no estaba de ánimo. Lo había arruinado todo al quebrantar mi promesa de decir la verdad, sea cual fuere. Me sentía pésimo. En el momento de hacer la promesa, jamás, ni en mis sueños más locos, podría haber imaginado que esa verdad (fuere cual fuere) sería un beso con una de las estrellas adolescentes más famosas del mundo. Aun así, lo cierto era que había quebrantado mi promesa y perdido a Lia.

16
Luz, cámara, acción

Estábamos a punto de poner el video cuando, a las diez y media, sonó el timbre.

Will corrió hasta el frente y espió por la ventana. Volvió corriendo.

—Es Lia —susurró—. ¿La hago pasar?

—Sí, claro —respondí.

Will corrió nuevamente hasta la sala; luego dio media vuelta y volvió corriendo hasta nosotros.

—¿Hago lo de la linterna?

El timbre volvió a sonar.

—Sí, claro, todo eso, pero date prisa o pensará que no hay nadie y se irá.

Will fue y apagó la luz del vestíbulo; luego encendió la linterna y abrió la puerta. Poco después, apareció guiando a Lia, bastante perpleja, hasta el jardín.

—Vaya —dijo Lia, al ver la escena—. Parece la casa de Santa Claus.

Fue estupendo verla. Estaba deslumbrante, como siempre, con el cabello suelto sobre la espalda. Pero vi que su cara parecía tensa, como si hubiese estado llorando. Era obvio que ella también lo estaba pasando mal.

Cat y Becca salieron de su escondite detrás del rododendro.

—¿La señora querría comer algo? —preguntó Becca—. Tenemos palomitas de maíz de la mejor calidad.

—O bombones —añadió Cat—. Al menos, lo que queda de ellos. Temo que nos comimos todo el helado.

—¿Qué pasa? —preguntó Lia—. ¿Qué hacen todos aquí?

—Exhibición privada de *When Harry Met Sally*. Como decía en tu invitación.

Lia sonrió a los demás.

—A mí no me parece muy privada.

—Todos quisieron colaborar. Me alegro tanto de que vinieras...

—No iba a venir. Estuve sentada en casa...

—Pero sí viniste.

Lia asintió.

—Quería hablar contigo.

Deseé que los demás se fueran por unos minutos. Necesitábamos estar solos. Pero estaban todos allí, como atornillados al suelo, escuchando primero lo que decía yo, luego a Lia, luego a mí, girando la cabeza hacia mí y luego hacia ella, como si estuviesen mirando un partido de tenis y nosotros fuésemos los jugadores.

Por un momento, hubo un silencio tenso. Finalmente, Will suspiró con aire trágico.

—Recuérdenme que nunca tenga novia —dijo—. Demasiado complicado.

Lia rió y se rompió el hielo.

—Cuánto me alegra que vinieras —le dije—. Sé que *When Harry Met Sally* es tu película preferida. Y —agregué, señalando las luces y todo— quería que fuera especial.

—Y nosotros quisimos ayudar —dijo Cat—. Porque es una locura que estén peleados cuando es obvio que están locos el uno por el otro.

—Locos es la palabra justa —acotó Will, poniendo los ojos en blanco.

Lia cambió de posición, incómoda, y yo le sonreí como un idiota. Ella estaba aquí. ¿Habría esperanza, después de todo?

—¿Quieren tener cinco minutos a solas? —preguntó Mac. Los dos asentimos.

—De acuerdo —dijo Becca—, pero después ¿podemos mirar la película?

Mac le dio un puñetazo suave en el brazo.

–Ay –rezongó.

Mac la empujó hacia adentro y Cat hizo lo propio con Will.

Lia y yo estábamos solos al fin.

–Acerca de... –dijimos, al mismo tiempo.

–No, tú primero –dijimos ambos, nuevamente al mismo tiempo. Luego reímos–. Tú primero –volvimos a decir a la vez, y ambos reímos.

–Bueno –dije.

–Bueno –dijo Lia.

–Esteee... –dije.

–Eh... –dijo Lia.

–Es como... –dije.

–Lo sé –dijo Lia.

–Lo siento mucho, mucho, mucho.

Lia miró al suelo.

–Yo también. Te he extrañado. Estuve sentada en casa, sintiéndome desgraciada y deseando llamarte, preguntándome si sería demasiado tarde y si me odiabas, y luego pensé...

–Y yo estuve sentado aquí esperándote, pensando que lo había arruinado todo, maldiciéndome por haber sido tan imbécil...

–Entonces, ¿no es demasiado tarde?

–Tú decides –respondí–. Fui yo quien no cumplió la promesa y...

Lia me puso un dedo sobre los labios y meneó la cabeza. Entendí: no había necesidad de palabras, basta de disculpas. Entonces, al mismo tiempo, nos acercamos el uno al otro para un estupendo beso al estilo de las películas.

–¿Ya podemos volver? –preguntó Becca desde el ventanal cinco minutos después–. Por el maratón de besos, parece que ya se arreglaron.

–No, todavía no –respondí–. Aún no nos hablamos.

Lia rió.

–No, sólo hablamos el idioma del amor.

–Oh, vamos –dijo Becca; salió por la puerta y se dejó caer sobre uno de los almohadones. Se quedó allí un minuto y luego miró al cielo–. Qué noche fabulosa. Se ven todas las estrellas.

Cat, Mac y Will salieron al jardín y se acomodaron junto a ella.

–Después de usted, señora –dije a Lia.

–No, tú primero –respondió.

–No, tú primero –insistí.

–Oh, por Dios, dejen de ser tan amables y siéntense –intervino Becca. Hicimos lo que nos dijo.

–Miren las estrellas –ordenó Becca.

Nuevamente hicimos lo que nos dijo y todos nos quedamos recostados contemplando el cielo.

Era una noche clara y todas las estrellas de la galaxia titilaban como si estuvieran compitiendo por el premio a la Estrella del Año. Tendido allí, rodeado por mis amigos, con la mano de Lia sobre la mía, me sentí más feliz que en varias semanas, incluso meses. Contemplando la inmensa bóveda allá arriba, pensé: estas estrellas, estas mismas estrellas, brillan sobre Hollywood y sobre el pueblo de Cawsand. Se puede poner fronteras al mundo con mapas, diciendo que esto es América, esto es Inglaterra y esto es Europa, pero ¿quién puede hacer eso con el cielo que existe sobre todo ello, sin cercas, sin fronteras, sin perímetros? Lancé un suspiro de profunda satisfacción. De modo que yo vivía en la península de Rame, en un lugar apartado de Cornwall, pero allá arriba estaban las estrellas y titilaban diciéndome que había debajo de ellas otros lugares por descubrir. Pero, por ahora, vivía en un sitio estupendo, con una familia genial y amigos excelentes. El futuro parecía prometedor. Charlie había dicho que podía contactarla por trabajo cuando terminara mis estudios de cine. ¡Incluso había hecho que Roland me escribiera referencias excelentes para mi currículum! Había vuelto con Lia. Y la vida bajo las estrellas, a diferencia de trabajar con ellas (o besarlas), era buena.

–¿Todos listos? –pregunté.

–Listos –respondieron a coro.

Tomé el control remoto.

–Bien. Luz, cámara, acción.

Apreté la tecla y empezó la película. Lia se acomodó en mis brazos, Becca se acomodó contra Mac y Will miró a Cat con aire esperanzado.

–Ni lo sueñes –le dijo ella.

–Algún día vas a arrepentirte –repuso él–. Seré joven pero tengo mucha experiencia.

Eso nos hizo reír a todos. Me sentía de lo mejor. Amigos perfectos, en un entorno perfecto, en una noche perfecta. Será divertido hacer películas, pensé, pero aún más divertido es mirarlas.

Sobre Cathy Hopkins

Cathy Hopkins vive en el norte de Londres con su apuesto esposo y tres gatos. Pasa la mayor parte del tiempo encerrada en un cobertizo al pie del jardín, simulando escribir libros, pero en realidad, lo que hace es escuchar música, bailar a lo hippie y charlar con sus amigos por correo electrónico.

De vez en cuando, la acompaña Molly, la gata que se cree correctora de textos y le gusta caminar sobre el teclado, corrigiendo y borrando las palabras que no le agradan.

Los demás gatos tienen otras ocupaciones.

A Barny le gusta tenderse de espaldas sobre la hierba, a contemplar las nubes y crear poesía. (Lamentablemente, no ha publicado nada, pues ha sido difícil encontrar alguien que traduzca su lengua gatuna, pero él y Cathy no pierden las esperanzas.)

A Maisie, la tercera gata, le preocupaba que Cathy hubiera olvidado cómo es ser adolescente, de modo que se esfuerza por recordárselo. Y lo hace muy bien. No presta atención a nadie y sólo viene a comer, dormir, y cada tanto emite un cansino «Miwhhf» (que significa «qué me importa» en lengua gatuna).

Además de eso, Cathy se ha inscripto en el gimnasio y pasa más tiempo del que le conviene inventando excusas para no tener que ir.

Índice